SCALE

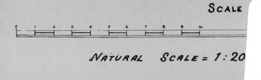

NATURAL SCALE = 1:20...

Reference Astronomical positions.   Triangulation ...   ...ait

Boundary Lines — — — — — Proposed Boundary Line —...—
shewn coloured thus — · — · — ~ · — ~ } Boundary mark on M.t Roraim...

Astronomical Positions

...ME OF PLACE	LATITUDE. N.	LONGITUDE W of Greenwich	AUTHORITY		NAME OF PLACE	LATITUDE. N.	LONGITUDE. W. of Greenwich	
a Playa	8 33 22	59 59 48.5	1st Expedition		Camp 3 Cuyuni River	6 49 28.9	60 39 12.8	3
...uruma River M.th	8 18 44	59 48 10	,, ,,		Camp 4 ,, ,,	6 47 04.8	60 46 36.3	
...dary Mark do	8 19 00	59 48 22.7	,, ,,		Ekereku River Mouth	6 43 02.8	60 56 23.7	
...uruma River H.d	8 14 05.3	59 50 07.9	,, ,,		Wenamu River ,,	6 42 40.9	61 08 00.7	
...wa River M.th	8 13 04	59 56 39.1	,, ,,		Pathawaru Wenamu R	6 26 02.3	61 07 54.1	4
...ancha, Amacura R	8 02 18	60 05 00	,, ,,		Arawai Fall ,,	6 19 36.5	61 09 22.7	
Victor, ,,	7 58 42	60 10 05.5	,, ,,		Tshuau Village ,,	6 11 45.8	61 07 22.1	
...orqueta, ,,	7 52 18.2	60 18 22	,, ,,		Kura Falls ,,	6 03 42.5	61 16 46.6	
...acura River H.d	7 49 00	60 21 53.1	,, ,,		Dead Man's Camp ,,	5 58 06	61 22 55.7	
...m Falls Barima R	7 38 24	60 20 37.8	2nd Expedition		W.most source Wenamu R.	5 56 55.4	61 23 24.7	
...tar Camp ,,	7 35 37	60 23 13.6	,, ,,		Paruima River Camp	5 51 01.7	61 03 08.1	
...aku Camp ,,	7 33 19	60 37 07.5	,, ,,		Kamarang ,, ,,	5 43 37.2	61 04 15.5	
...ma River Head	7 28 24	60 41 31.2	,, ,,		Arriwe Matai	5 36 35	61 21 15.3	
...abisi River Head	7 08 27.7	60 20 51.1	,, ,,		Yuruani River	5 11 00	80 58 36.5	
,, Mouth	6 55 47.1	60 22 01.7	3rd Expedition		Kamaiwawong Village	5 10 11.1	60 41 45.3	
...2 Cuyuni River	6 51 32.3	60 32 21.5	,, ,,		Boundary Mark Mount	5 10 09.6	60 45 58.2	

The New Conquistadors

The Venezuelan Challenge to Guyana's Sovereignty

*A 50th Anniversary of Independence
Indictment of Guyana's Western Neighbour*

To: Vania Legall
The World's best intern
From: [signature] Feb 18, 2019

Ministry of Foreign Affairs
GUYANA

HANSIB

First published in 2016 by Hansib Publications Limited
P.O. Box 226, Hertford, SG14 3WY
United Kingdom

info@hansibpublications.com
www.hansibpublications.com

ISBN 978-1-910553-66-4

A CIP catalogue record for this book
is available from the British Library

Produced by Hansib Publications Limited

"Guyana remains resolute in defending itself against all forms of aggression. We remain wedded to the ideal of peace. We have never, as an independent state, provoked or used aggression against any other nation. We have never used our political clout to veto development projects in another country. We have never discouraged investors willing to invest in another country. We have never stymied development of another nation state. We do not expect, nor will we condone, any country attempting to do the same to us."

Extract from the Address by His Excellency Brigadier David Granger, MSS, President of the Cooperative Republic of Guyana to the 11th Parliament, Georgetown, on 9th July 2015

Contents

Foreword

Sir Shridath Ramphal is right to liken the first years of Independence to the experience of our young turtles on Shell Beach braving the hazards to reach the safety of the marine habitat beyond. For Guyana, it has been both brave and treacherous a passage and, at fifty years in our world journey, its insecurities are not yet wholly passed.

This extract from the book *Guyana in the World: The First of the First Fifty Years and The Predatory Challenge*, published to mark our 50th Independence Anniversary, focuses on the latter. It chronicles how we have managed to survive the ruthless threats to our territorial integrity from our neighbours to the West who have cast envious eyes on our patrimony – on land and at sea. Despite

Guyana's Minister of Foreign Affairs, Carl B. Greenidge

the traditions of Bolivar, Venezuela walks in the footsteps of the colonizers and, like a new conquistador, would deny Guyana more than one-half of its territory. Their indifference to international law and 20th Century global mores makes Guyana's cause that of all the world. It is necessary that their transgression of international values be known to the world. Our faith lies in the world – in the United Nations whose halls we entered fifty years ago.

We have sought to present this in the Spanish language to address what we know has been concealed and to present facts that have been greatly distorted.

Carl B. Greenidge
Minister of Foreign Affairs
GUYANA

The Venezuelan challenge to Guyana's sovereignty

On Guyana's north-western shore – the Essequibo Coast – is *Shell Beach.* It is the quintessence of Guyana itself in its need for protection of the new born turtles that rise from its golden sands only to battle their way to survival past predators in their path. Guyana's first fifty years have been like the first hazardous moments of our turtles. And as it is with them, it has been and remains the world's responsibility to secure new-born countries like Guyana from the predators that would devour them. The world seeks to discharge that responsibility essentially by international law. It is by violating international law that others on their frontiers try to despoil them of the right to survival that is their patrimony. So has it been with Guyana. And as fifty years are but an hour in a nation's life, that threat to survival persists as Guyana celebrates the 50th Anniversary of its Independence attained on 26 May 1966.

Newborn turtles at Shell Beach, Essequibo

The Venezuelan challenge to Guyana

The process of decolonisation is for many the greatest achievement of the post-war world, and Guyana's Independence was a part of it. It was a process welcomed by most freedom loving people and Governments. But the welcome of Guyana's freedom was not shared by the Government of our neighbour to the west who, ironically, was to call their country *the Bolivarian Republic of Venezuela.* That singular aversion to Guyana's freedom was the very converse of all that Simon Bolivar symbolises. And it was not resentment alone that Venezuela nurtured. In anti-Bolivarian fashion, Venezuela actually tried to obstruct Guyana's Independence – to prevent the start of the last fifty years. This could not be the wish or the work of our brothers and sisters in Venezuela, the ordinary people of our neighbouring land. They are neighbours against whom the people of Guyana nurture no ill will. But there are classes and forces in Venezuela that have made the acquisition of most of Guyana their life's cause, and sought to turn it into a national crusade – Venezuela, already the fifth largest country of South America, with Guyana among the smallest.

The Treaty of Washington, 1897

As early as 1962, four years before Guyana's Independence, the then Venezuelan Government had taken advantage of Guyana's pending freedom to try to reopen with Britain a long-settled border controversy involving more than half of Guyana's land area. It was a spurious and, in some ways, a sinister contention; and this was their second effort to rob Guyana of its patrimony. Three months before Guyana's Independence, in early 1966, Britain invited the 'about to be independent' Guyana to join in its conversations with Venezuela in the hope that the new country could be rid of Venezuelan greed at birth. The outcome was the Geneva Agreement between Venezuela and the United Kingdom, to which on attaining independence, Guyana became a party 'in addition to' Britain. It was our first international foray; and Prime Minister Burnham and I attended. I am, perhaps, the only one on any side at Geneva, who is alive on Guyana's fiftieth birthday.

That Meeting in Geneva should not have been necessary, for Guyana's boundary with Venezuela had been formally settled over a hundred years previously by an International Tribunal of Arbitration under a Treaty freely signed by Venezuela and ratified by its Congress.

> **President Joaquin Crespo commending the Treaty of Washington to the Venezuelan Congress on 20 February 1897 for ratification**
>
> "It is eminently just to recognise the fact that the great republic (the United States of America) has strenuously endeavoured to conduct this matter in the most favourable way, and the result obtained represents an effort of intelligence and good will worthy of praise and thanks from us who are so intimately acquainted with the conditions of this most complicated question. It is your duty according to the constitutional law of the republic to examine the treaty which the Venezuelan Minister Plenipotentiary signed in accordance with the bases referred to and the change proposed by the executive power in regard to the formation of the arbitral tribunal. And as this is an affair of such importance involving as it does such sacred interests, I beg you that from the moment it is presented for your consideration you will postpone all other business until you shall decide upon it. (translation).

Venezuela had long cast envious eyes on the Essequibo region of Guyana – some two-thirds of Guyana. Britain claimed in turn the Orinoco Delta of oil rich Venezuela. It was the days of the Monroe Doctrine and the United States of America, acting as Venezuela's patron, had pressured Britain at Venezuelan insistence into agreeing to signing a Treaty of Arbitration with Venezuela under threat of war – so fierce was America's hemispheric posture. That was 2nd February 1897. It was a Treaty to settle for all time the Boundary between Venezuela and Britain's colony of British Guiana. Venezuela and Britain undertook in solemn terms *"to consider the results of the proceeds of the Tribunal of Arbitration as a full, perfect and final settlement of all the questions referred to the Arbitrators".*

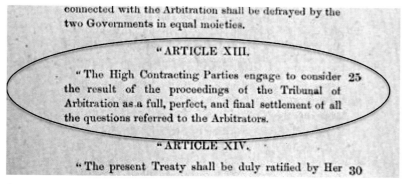

connected with the Arbitration shall be defrayed by the two Governments in equal moieties.

"ARTICLE XIII.

"The High Contracting Parties engage to consider 25 the result of the proceedings of the Tribunal of Arbitration as a full, perfect, and final settlement of all the questions referred to the Arbitrators.

"ARTICLE XIV.

"The present Treaty shall be duly ratified by Her 30

The Treaty of Washington, 1897

The Arbitral Tribunal

Venezuela claimed that they were the heirs of Spanish colonialism and that Spain had occupied more than half of the British colony before the British came. The Tribunal went into the most elaborate examination of the history of the occupation of the territory. The arguments took four hours each day, four days each week and covered a period of nearly three months. The verbatim records of the hearings occupy 54 printed volumes – with cases and counter-cases, and additional documents, correspondence and evidence. The Tribunal was presided over by M. de Martens, Professor of International Law at the University of St Petersburg, perhaps the most eminent international lawyer of the time. The other judges were: on the part of Venezuela, US Chief Justice Weston Fuller, nominated by the President of Venezuela; Justice David Josiah

Brewer, of the US Supreme Court, nominated by the President of the United States and, on the part of Great Britain, Lord Russell of Killowen (Lord Chief Justice of England) and Sir Richard Henn Collins, a Lord Justice of Appeal of the English High Court. It is these four Judges that together chose Professor de Martens as the President of the Tribunal.

Rules of Procedure of the Tribunal of Arbitration, Rule XXIV

The final award, duly declared and communicated to the Agents of the two Governments being in dispute shall be deemed to decide definitely the points in dispute between the Governments of Great Britain and of The United States of Venezuela concerning the lines of their respective frontiers, and shall finally close all Proceedings of the Tribunal of Arbitration established by the Treaty of Washington.

Venezuela applauds the Award

On 3 October 1899, the International Tribunal of Arbitration presented its Award. In the words of the law firm handling Venezuela's case, written in the American Journal of International Law as late as 1949: *"The Award secured to Venezuela the mouth of the Orinoco and control of the Orinoco basin, these being the most important questions at issue"*. Britain was awarded the less important rest. It was a success for Venezuela; the law firm used the prestigious Journal's account of the Award to adorn its credentials. They were not overweening. In the days following the Award, on 7 October 1899, Venezuela's Ambassador to Britain, Jose Andrade – the brother of the then Venezuelan President – commented: *We were given the exclusive dominion over the Orinoco, which was the principle aim we sought to achieve through arbitration.*

THE JUSTICE OF THE AWARD

"Greatly indeed did justice shine forth when, in spite of all, in the determining of the frontier the exclusive dominion of the Orinoco was granted to us, which is the principal aim which we set ourselves to obtain through arbitration. I consider well spent the humble efforts which I devoted personally to this end during the last six years of my public life."

Sr. Andrade, Venezuelan Minister to London, October 7, 1899

Two months after the Award the American President William McKinley (Venezuela's patron) confirmed the mood of satisfaction in Caracas – in his State of the Union Message to Congress on 5 December 1899.

President McKinley's State of the Union Message to Congress, 5 December 1899

"The International Commission of Arbitration appointed under The Anglo-Venezuelan Treaty of 1897 rendered an award on October 3 last whereby the boundaries line between Venezuela and British Guiana is determined; thus ending a controversy which had existed for the greater part of the century. The award, as to which the Arbitrators were unanimous, while not meeting the extreme contention of either party, gives to Great Britain a large share of the interior territory in dispute and to Venezuela the entire mouth of the Orinoco, including Barima Point and the Caribbean littoral for some distance to the eastwards. The decision appears to be equally satisfactory to both parties."

Demarcation of the Boundary

As required by the Treaty and the Award, the boundary as determined by the Award was demarcated on the ground between 1900 and 1904 by Commissioners appointed by Britain and Venezuela. For

Venezuela, the Commissioners were Dr Abraham Tirado, Civil Engineer of the United States of Venezuela and Chief of the Boundary Commission and Dr Elias Toro, Surgeon General of 'the Illustrious Central University of Venezuela' and Second Commissioner on behalf of Venezuela. On 7 January 1905, an official boundary map delineating the boundary as awarded and demarcated was drawn up, signed by Dr Tirado and Dr Toro, and by the British Commissioners H.J. Perkins and C. Wilgress Anderson, and promulgated in Georgetown at the Combined Court.

The Report submitted to the Venezuelan Government by Dr Tirado, the head of the Venezuelan Boundary Commissioners, speaks volumes of Venezuelan recognition and satisfaction with the Treaty, the Award and the Map – as the closing words of his report conveyed.

Dr Tirado's Report Forwarding the Official Boundary Map

The honourable task is ended and the delimitation between our Republic and the Colony of British Guiana an accomplished fact. I, satisfied with the part which it has been my lot to play, congratulate Venezuela in the person of the patriotic Administrator who rules her destinies and who sees with generous pride the long-standing and irritating dispute that has caused his country so much annoyance settled under his regime.

Abraham Tirado
March 20, 1905

Venezuela protects the Boundary

That this was no pretence of respect for the Award and the related delimitation was well borne out in 1911 in replacing the Marker at the northernmost point of the Boundary (Punta Playa) when it was

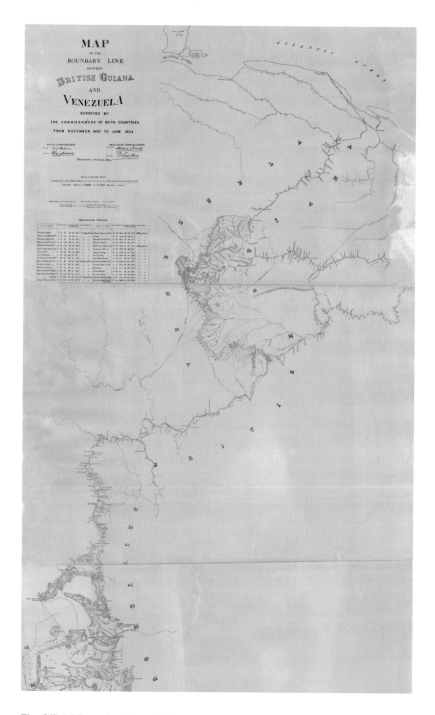

The Official Boundary Map, 1905

found to be washed away. Venezuela insisted that the replacement be strictly in accord with the 1899 Paris Award. The then President of Venezuela specifically authorised the undertaking.

> **General Juan Vicente Gomez**
> **President of the US of Venezuela**
>
> WHEREAS I confer FULL POWERS that in his capacity a Commissioner following the instructions given will proceed to replace the post which was washed away by the sea in the extreme of the frontier between Venezuela and British Guiana at Punta Playa with another which necessarily will be placed at the precise point where the boundary line cut now the line fixed in nineteen hundred in accordance with the Award signed at Paris the 3rd of October by the Mixed Commission Anglo-Venezuelan.
>
> (Sgd) J. V. Gomez
> Translation (sgd) Antonio G. Monagas
> Consul for the U.S. of Venezuela.

It was the boundary as shown on that definitive map of 1905, authenticated with pride by their Minister of Internal Relations, F. Alientaro, that the then Venezuelan Government used to celebrate their first one hundred years of Independence in 1911. A century and five years later, as Guyana celebrates its first fifty years of its freedom, Venezuela casts that map aside – the map it celebrated in the name of Bolivar for over sixty years – to deny the new Guyana its own patrimony.

It was not always so; in 1931, for example – and there are many such instances of Venezuelan official fidelity to the 1899 Award – in the context of the tri-junction point of the boundary between Brazil, Guyana and Venezuela, Venezuela insisted on staying strictly in accord with the 1899 Award and the Official Boundary Map. To a British proposal for a minor adjustment by agreement Venezuela argued that, for constitutional reasons, they would not depart from the letter of the 1899 Award. The Venezuelan Minister of Foreign Affairs, P. Itriago Chacín wrote (in translation) on 31 October 1931 explaining their objection in principle to any change in the established border.

Venezuela rejects any change from the line of the 1899 Award
The letter from Foreign Minister Chacín

"At the present time also there exist objections of principle to an alteration by agreement to the *frontier de droit*, since, as this frontier is the result of a public treaty ratified by the Venezuelan legislature, it could only be modified by a process which would take considerable time even supposing that other difficulties, also of principle, could be got over."

31st October, 1931

Ten years later, into the early forties, a Venezuelan Foreign Minister, Dr Gil Borges, would reassure a British Ambassador in Caracas, D. St Clair Gainer, in the context of a press comment about the Arbitral Award, that – as the Ambassador reported him – "*From time to time an odd article about British Guiana appears in the Press but that I need take no notice of that; the articles were obviously written by persons of little knowledge who have never had access to official files. So far as the Venezuelan Government were concerned the one really satisfactory frontier Venezuela possessed (at that time) was the British Guiana frontier and it would not occur to them to dispute it.* Ambassador Gainer was reassured that the matter was '*chose jugée*', and said so to the Minister.

How much more worthy it would have been had Venezuela continued to adopt the candidly honest stand of its Foreign Minister as late as 1941.

It is a sordid tale of how Venezuela abandoned the path of propriety, and with it the rule of law; and how, particularly now, its rulers seek to dispossess Guyana of its heritage and to mar the environment of our 50th anniversary.

Venezuelan greed revived

Guyana's controversies with Venezuela have always had a sharper edge than any other; perhaps because the former derive to a greater degree from cultivated avarice and calculated stratagems –all sustained by awareness of unequal strengths. These are not attributes of the Venezuelan people; they dwell within coteries of Venezuelan power, both civilian and military; and they are self-sustaining, feeding on their co-mingled myths and ambitions, and generating new falsehoods which they begin to believe. For sixty years, Venezuelan Governments respected, adopted, even protected the 1899 boundary; yet today President Maduro can say in a studied distortion of history: *With the 20th century came the third stage. The Treaty of Paris was denounced as invalid.* By 'the Treaty of Paris' he means the Arbitral Tribunal that met in Paris and the Award of 1899 and the demarcated boundary that Venezuela respected for sixty years of that 20th century – another distortion on which is being built another stratagem of dispossession: one that may have as much, or little, to do with Venezuela's internal political maelstrom as Guyana-Venezuela relations.

So, now, as Guyana looks to marking with pride the 50th Anniversary of its Independence, the settlement of its border with Venezuela, secured by the 1899 Arbitral Award and its formal demarcation, is being brusquely threatened by forces in Caracas – in furtherance of earlier efforts to subvert the rules of international law and virtually steal Guyana's substance.

Satisfied initially with its achievements under the 1899 Award, though not without the grumbles of the greedy who wanted even more, Venezuela proceeded toward fulfilment of the destiny which the vast mineral wealth of its land yielded – including from the Orinoco Basin that the Award gave them; and without which that region would still be in contention. Through most of the first half of the 20th century, as has been shown, it found no quarrel with the Award; and when in 1962 it chose to reopen it with Britain – some sixty years after it had insistently closed it – it did so with restraint and circumspection in the manner of equals. But time was on the side of those in Venezuela for whom, with national wealth now assured, eastward expansion had become an imperial crusade. And the ground was well prepared.

The Mallet-Prevost stratagem

At the first sign of Guyana's movement to independence, the Venezuelan Government initiated a vigorous boundary controversy on the most tenuous of grounds. The single source of these grounds was, and remains to this day, a memorandum written by an American lawyer, Severo Mallet-Prevost, who was one of the junior counsel for Venezuela during the Arbitral Tribunal's hearing. It was written in 1944 just after he had received from the Government of Venezuela the Order of the Liberator for his services to the Republic. But the slanderous tale was not told then. It was embedded in a secret memorandum given to his law partner in Washington with strict instructions to be opened and published only after his death. He died in 1949 – when every other participant in the arbitral proceedings had long since died. The posthumous memorandum contended that the Arbitral Award of 1899 was the result of a political deal between Britain and Russia carried into effect by collusion between the British Judges and the Russian President of the Tribunal and agreed to in the interest of unanimity by the

American Judges – after they had consulted with the American lawyers (including himself) who were Venezuela's chosen counsel.

It was on this flimsiest pretext of an old and disappointed man's posthumous memoirs set down some 45 years after the events – these shreds and patches embroidered with speculations, ambiguities and allusions to new but undisclosed evidence; these calumnies against five of the most eminent jurists in the world of their time – that Venezuela mounted its international campaign against Guyana as we approached independence.

After Dr Jagan had raised the issue of Guyana's Independence in the United Nations in late 1961 and spoke in the Fourth Committee on 18 December 1961, Venezuela for the first time questioned in that organisation their border with the colony. It did so in February 1962 in the Fourth Committee but was at pains to emphasise its innocence – as in the conversation of the Minister Counsellor of the Venezuelan Mission to the UN, Mr Walter Brandt with the US Mission recorded on 15 January 1962 referring to an Aide Memoire of 12 January 1962; both records now declassified.

Extract from the US State Department's Memorandum of Conversation dated 15 January 1962 with Mr Walter Brandt of the Venezuelan Permanent Mission to the UN

"He explained that Venezuela was not questioning the legality of the Arbitral Award but felt it only just that the Award should be revised since it was handed down by a Tribunal of five judges which did not include on it any Venezuelans; ....Venezuela considers the Award to have been inequitable and questionable from a moral point of view (viciado).

"Mr Brandt indicated that Venezuela's contemplated action in the Fourth Committee was not intended to be construed as a Venezuelan request to re-open the boundary question, nor was it an attempt to block any possible UN gesture in favour of British Guiana's independence."

Of course, as events were to confirm, these contentions of innocence were soon abandoned. The Arbitral Award became not 'immoral' but 'null and void'; and no 'block' on British Guiana's Independence became insistence that it should not happen unless the border was revised. As the date for Independence drew nearer the agitation grew fiercer threatening in veiled and indirect ways the advance to Independence itself. Hence the British conversations in Geneva in 1966 – three months before Guyana's Independence.

The 'Cold War' dimension

But there was more, until now, hidden in archival secrecy. Though long suspected, American State Papers (both White House and State Department Papers since declassified) have now revealed a darker plot. In the 1950s and 1960s, in a 'cold war' context, there was serious Western concern, mainly driven by the United States, that Guyana's independence under a Jagan-led Government would see another Cuba, this time on the South American Continent. In 1962, the then Venezuelan President Rómulo Betancourt chose to take advantage of this fear of 'another Cuba' in an independent Guyana by proposing a plan to develop the Essequibo region by US and British investors no longer as part of British Guiana – but under 'Venezuelan sovereignty' – a pretext for intervention and acquisition under the guise of curbing the spread of' 'communism'.

A despatch of 15 May 1962 from the American Ambassador in Caracas (C. Allan Stewart) conveyed to the State Department Betancourt's views on the "border question" as gleaned "during the course of several meetings" with him. He wrote with the astuteness of a seasoned diplomat:

> *"President Betancourt professes to be greatly concerned about an independent British Guiana with Cheddie Jagan*

as Prime Minister. He suspects that Jagan is already too committed to communism and that his American wife exercises considerable influence over him... This alarm may be slightly simulated since Betancourt's solution of the border dispute presupposes a hostile Jagan.

"His plan: Through a series of conferences with the British before Guiana is awarded independence a cordon sanitaire *would be set up between the present boundary line and one mutually agreed upon by the two countries (Venezuela and Britain). Sovereignty of this slice of British Guiana would pass to Venezuela. ...*

"Of course, the reason for the existence of the strip of territory, according to the President, is the danger of communist infiltration of Venezuela from British Guiana if a Castro-type government ever were established... It would seem logical that Venezuela will from now on pursue the idea of the cordon sanitaire *to protect itself from a commie-line independent British Guiana rather than send support to the Burnham opposition."*

A year later, on 30 June 1963, President Kennedy was meeting Britain's Prime Minister Macmillan at Birch Grove in England and, on the American side, the issue of British Guiana was the *"principal subject the President intend(ed) to raise with Macmillan"*. So wrote Dean Rusk (the American Secretary of State) the week before in a secret telegram to Ambassador Bruce (the U.S. Ambassador in London) seeking his thoughts *"on how best to convince our British friends of the deadly seriousness of our concern and our determination that British Guiana shall not become independent with a Communist government."* The commonality of motivation between Kennedy and Betancourt was quite remarkable. Much more remarkable is the inheritance, adoption and vigorous pursuit of an abandoned CIA legacy by an avowed, radical, anti-imperialist Venezuelan Government of the present – and in the name of Bolivar.

Of course, none of this was ever revealed to the Venezuelan people whose patriotism was infused with the simplistic fallacy that Venezuela was 'robbed' by Britain of the Essequibo region of Guyana. On their maps, and in their minds, it was the *'Zona en Reclamacion'*. As it was, it was Jagan's political opponent, Burnham, who led the Independent Guyana. But by then, driven by Venezuela's greed, the 'controversy' had taken on a life of its own, certainly for the chauvinistic forces that had nurtured it. For those forces the Mallet-Prevost fable would suffice to perpetuate the contention that the 1899 Arbitral Award is 'null and void' and the Essequibo region automatically Venezuelan, studiously ignoring the implications of the nullity contention for the Orinoco Delta which the same Award had given to them. That was and is today Venezuela's basic contention – that the 1899 Arbitral Award is 'null and void' because of the Mallet-Prevost posthumous memoire.

The 'David and Goliath' torment

The young, and powerless, Guyana faced this 'David and Goliath' situation, and its attendant harassment, from birth. Its only defence was diplomacy: an appeal to the international community to save the infant state from the machinations of its large, wealthy, powerful – and alas, unscrupulous – neighbour. And in those days, Venezuela pursued its territorial ambitions shamelessly. It kept Guyana out of the Organisation of American States (OAS) until 1991 and, within months of independence, it brazenly breached the border (on Ankoko Island) in defiance of the Geneva Agreement. The same year it began interfering in Guyana's internal affairs through attempted subversion of Guyana's indigenous people. In

1968, as Guyana's Prime Minister paid an official visit to Britain, Venezuela bought advertising space in the London *Times* (of 15 June), announcing its non-recognition of concessions granted by Guyana in the area it 'claimed'. Later that year, contemptuous of international law, President Leoni issued a 'decree' purporting to annex a strip of territorial waters adjacent to Guyana's coast. It refused, of course, to sign the Law of the Sea Convention – one of the few countries in the world to exclude itself from '*the Constitution for the Oceans*'. The young Guyana faced fearful odds. Surmounting them became Guyana's mission in the world.

Speaking for Guyana in the General Debate of the 23rd session of the United Nations General Assembly (on 3 October 1968), I devoted my entire Address to the issue of Venezuela's attempts to stifle Guyana at birth. I called it: "*Development or Defence: the Small State threatened with Aggression*'. It was to continue to be an apt description of Guyana's predicament throughout the fifty years of its existence.

I have earlier indicated how, in rejecting Venezuela's devious attempts to defer Guyana's Independence, Britain sought to rid the new Guyana of the Venezuelan 'plague'. February 17th, 2016 was the 50th anniversary of the signing of the 1966 Geneva Agreement. It is not co-incidental that 2016 is also the 50th Anniversary of Guyana's Independence; for the Geneva Meeting represented the last effort from Caracas to prevent Guyana's Independence.

The Geneva Agreement, 1966

The Agreement was between Britain and Venezuela; Guyana only became a party on attaining Independence. And that is what it was essentially about – Guyana's Independence. Until then, Venezuela had indulged an argument with Britain that Bolivar's legacy could never have blessed, namely, to retain the status of colonialism in British Guiana until the boundary with Venezuela was changed. The Geneva Agreement ended that un-Bolivarian argument. Guyana would be free with its borders intact. That is why Guyana believed the Geneva Agreement was worth commemorating; and it said so. It is part of the founding instruments of Guyana's freedom.

In that context, the Agreement carefully identified the nature of Venezuela's on-going controversy with Britain as "the controversy between Venezuela and the United Kingdom which has arisen as a result of the Venezuelan contention that the arbitral award of 1899 about the frontier between British Guiana and Venezuela is null and void." It was with this controversy that the Geneva "conversations", and their outcome in the form of the Geneva Agreement, was concerned. Having identified the controversy as that raised by Venezuela's contention of nullity of the 1899 Arbitral Award, the Geneva Agreement went on to stipulate the means which the Parties agreed must be followed to resolve the controversy.

It provided a clear path to settlement ending in judicial process. First, there would be a four-year Mixed Commission of Guyanese and Venezuelan representatives, and if the Commission could not settle the matter and the Governments could not agree on the next means of doing so, the United Nations Secretary General would be the arbiter of the "means of settlement" from those set out in Article 33 of the Charter of the United Nations. U Thant was the UN Secretary General in 1966 and on receipt of the Agreement he replied on 4 April 1966 without equivocation.

The Mixed Commission did not succeed in resolving the controversy. Guyana's Representatives were Sir Donald Jackson (a former Chief Justice of British Guiana) and Dr Mohammed Shahabuddeen (later, a Judge of the ICJ). The Commission held

United Nations Secretary-General's acceptance of obligations under the Geneva Agreement

H.E. U Thant, 4 April 1966 to the Foreign Minister of Venezuela "I have made note of the obligations that eventually can fall on the Secretary General of the United Nations by virtue of Paragraph 2 of Article IV of the Agreement and it pleases me to inform you that the functions are of such a nature that they can be appropriately carried out by the Secretary General of the United Nations."

many meetings during their four-year existence. At the very first meeting Guyana invited Venezuela to produce its evidence and arguments in support of its claim that the Arbitral Award was 'null and void'. Venezuela's response was that the issue of 'nullity' was not an issue with which the Mixed Commission should concern itself. The only issue before the Commission was how much of the Essequibo region was Guyana prepared to cede either directly or within the framework of a 'Joint Development' programme. The minutes of the Meetings of the Mixed Commission were carefully recorded and signed with copies attached to the Final Report and Interim Reports were issued to both Governments signed by the Commissioners.

In declining to address their basic legal contention of nullity in the Mixed Commission, the Venezuelan Commissioners did, however, concede that the question of judicial settlement could arise at a later time.: *'The juridical examination of the question* (of nullity) *would, if necessary, be proceeded with, in time, by some international tribunal in accordance with article IV of the Geneva Agreement'*. So said Venezuela at the end of 1966 – in the First Interim Report signed in Caracas by the Venezuelan Commissioners Luis Loreto and G Garcia Bustillos. Today, fifty years later, Venezuela still argues that that later time has not yet come.

Fifty years of Venezuelan 'filibuster'

But the Mixed Commission's failure to find a resolution to the controversy was due as much to what was said in the Commission as to what was done by Venezuela beyond the discussions. I have alluded to some of them above, namely, Venezuela's:

- Violation of Guyana's territorial integrity on Ankoko Island
- The Leoni attempt to appropriate Guyana's off-shore waters
- Economic aggression through campaigns against investment in Guyana
- Intervention in Guyana's internal affairs through the Rupununi 'uprising'.

And there were others. What the experience of the Mixed Commission revealed was a strategy which Venezuela has pursued for over fifty years, namely: a façade of peaceful but fruitless discussion masking a policy of studied political, economic and increasingly militaristic aggression. When the Geneva meeting was held in 1966, the expectation was a process of some ten years to solution. Under the Protocol of Port of Spain, a moratorium of twelve years followed the Mixed Commission, but Venezuela found it too cramping of its strategy and refused to extend it. Then followed twenty-seven years of a UN 'good offices' process which yielded nothing by way of solution but suited Venezuela's strategy of continuous belligerence. With the untimely death of the last Personal Representative of the Secretary General under that process, the much respected Dr Norman Girvan, Guyana in September 2014 under the then Government communicated to the Secretary General of the United Nations its firm view that the process had run its course. In the year of the 50th anniversary of the Geneva Agreement, and of Guyana's Independence which it heralded, it is palpably time to bring this unworthy controversy to an end.

Yet Venezuela ensures that it remains a matter of contention, though not surprisingly (given President Betancourt's' manoeuvres) less rancorous in the time of Hugo Chavez than in earlier years. However, beyond Chavez, his successor President Nicolás Maduro, whatever the internal political pressures, has carried Venezuela's campaign of usurpation to even more outrageous lengths – threatening both the maritime and territorial integrity of Guyana – and reaching beyond Guyana, to the maritime space of other Caribbean Community countries.

Destroying International Agreements

A former Foreign Minister of a Central American country once described successive Governments of his neighbouring country as "serial killers of international agreements". It was an apt description. It could not be bettered as a description of Venezuela in its relations with Guyana: *SERIAL KILLERS OF INTERNATIONAL AGREEMENTS.* The charge is a serious one; it should not be advanced without good reason and irrefutable evidence; for its proof proclaims the lowest rank of internationalism and shameful conduct in a time when the world has set high standards of civilized behavior for nations no less than people. This it does – with good reason and irrefutable evidence.

Let us start with the Treaty of Munster of 1648. The middle of the 17th century was a long time ago. Venezuela as a State was yet to be born. European powers were contending for space in South America. The Treaty of Munster between Spain and the Netherlands was essentially about their occupancies; and in particular about the assured place of the Dutch in the region that would be Brazil, Venezuela and the Guianas. From the Essequibo to the Orinoco, watched over by Kyk Over Al, from the Atlantic through the Pomeroon region, the Treaty of Munster laid out Guyana's Dutch beginnings. As Justice Brewer suggested in the 1899 arbitral proceedings [vol. 8 p. 2234, etc]:

> " the Spanish authorities recognized that the concession, or confirmation, or whatever you call it, in the Treaty, was not that simply the island of Kijkoveral, but of territory appurtenant thereto and considered that the Pomeroon was really appurtenant to the Essequibo…"

and, later [in vol.9 at p.2648-9],

> "whether we are to look upon them in that attitude or whether we should look upon them then as coming into vacant territory, nobody being in Kijkoveral, nobody being in the Essequibo, and occupying possessions and territory not then occupied, and therefore entitled not to the mere area on which it rests, but to all the fringe, as my Lord Justice Collins happily expressed it and all the surroundings which become appurtenant to that occupation."

But that did not suit Venezuelan ambition and so the Treaty had to be transfigured – this interpretation had to be killed. So, according to Venezuela, the Treaty of Munster - with which they had nothing to do - must be understood 250 years later to mean that Spain ceded to the Dutch only the places they actually possessed by then in Guiana, and that what was not ceded was retained by Spain. The British argument was that Holland did not derive title by cession, and was not so limited; that the Treaty did not give any paramount effect to Spain's alleged title by discovery and that Holland was at liberty to expand her possessions into areas of Guiana not actually held and possessed by Spain at the date of the Treaty. The British argument was one more in accord with the actual language of the Treaty and was one that the Tribunal clearly adopted. It might be added that this argument accords with the views afterwards expressed by Huber in his authoritative and closely reasoned award in the *Island of Palmas* Case where he said that the Treaty of Munster prescribed no frontiers and appointed no definite regions as belonging to one power or the other, but established as a criterion "the principle of possession". He also took the view that the Treaty indirectly refused to recognize the title based on discovery.

These arguments are not for review as in the nature of an appeal; but Venezuela understood that they had to be killed off in support of a historical argument assuming success for their concocted argument that the Award of the Tribunal is 'null and void'. Their first act of assassination of the relevant international agreements was the hallowed Treaty of Munster of 1648 – first targeted during the hearing of the Court of Arbitration of 1899. They did quite well in the Arbitration: in the words of their lawyers – "securing to Venezuela the mouth of the Orinoco and control of the Orinoco Basin, these being the most important questions at issue." And, as we have seen, for sixty years afterwards they adopted, respected – even protected – the boundary as awarded by the Tribunal and demarcated on the ground: all under the Treaty of Washington of 1897, which they concluded with Britain and ratified by their Congress.

But there came a time when the forces of greed became ascendant in Venezuela and they had to find ways to abandon their satisfaction with the boundary. They turned to many devices: posthumous memoirs, even 'cold war' artifices. But the biggest impediment of all was the Treaty of Washington itself under which the Arbitration Tribunal was set up, the Award made, and the Boundary established. For the covetous forces in Venezuela the answer was clear – the Treaty of Washington had to go. Another assassination of an age old Treaty.

The most recent description of the killing of this venerable international agreement which had brought peace and calm and good neighbourliness to the frontier of Guyana and Venezuela for over sixty years was given just recently on 28 March 2016. The words are those of President Maduro himself in a studied and much publicized interview to teleSUR:

> *"The plundering of Venezuela, as I have described, was carried out via a flawed treaty, which Venezuela considers invalid and does not recognize."*

Not all Venezuelans, assuredly, will interpret history thus; but President Maduro speaks for the Government of Venezuela. As such, he seems to have forgotten that Venezuela's title to the Orinoco basin about which his lawyers were so pleased in 1899, derives from that 'flawed treaty' and the Award of the Tribunal under it.

But not all crimes follow the same path. Unlike the Treaty of Washington which is declared invalid and no longer recognized by Venezuela, the Geneva Agreement, 1966 is recognized but distorted. A distortion of its intent and meaning is fundamental to Venezuela's strategy for stealing from its young neighbour more than a half of its land. The Geneva Agreement, which ended Venezuela's desperate effort to forestall Guyana's Independence with its borders intact, set out a clear path for bringing finality to Venezuela's basic contention that the Arbitral Award of 1899 is 'null and void'.

Nothing can be clearer from the text of the Agreement and its history that this is the issue for which the Agreement provides a path of settlement through the authority it entrusts to the United Nations Secretary General – **a path which could lead to a definitive settlement by judicial process.** But Venezuela's conduct is in violation of the rule of international làw and the last thing it wants is the application of law to its lawless behavior. So, they must distort the Agreement to ignore the contention of 'nullity' and go back to the Treaty of Munster of 1648, and indeed, before that to a **Papal Bull of the fifteenth century** or better still – since (in Venezuelan eyes) the Treaty of Munster is really gone and the Treaty of Washington is invalid – pursue a strategy of continuous but fruitless discussion as a cover for constant harassment of a weak neighbour. So the real Geneva Agreement is disposed of and a falsified one celebrated.

Despite Venezuela's efforts, the Treaty of Munster retains its ancient meaning, the Treaty of Washington continues to sustain all that has been done in its name and the Geneva Agreement in its true meaning subsists to secure the definitive settlement of the controversy of nullity that plagues Guyana-Venezuela relations. Being a serial killer of international agreements is often, therefore, a matter of intent, and injurious to the party against whom directed only if allowed to be. But they could have a wider impact. At stake, if such conduct is not denounced, is the sanctity of treaties at a global level, International comity rests on the preservation of such sanctity; and every effort to dethrone it anywhere hurts the international community everywhere. Venezuela's efforts to destroy international agreements in its relations with Guyana, inflicts a global wound and calls for global condemnation.

The Maduro Regime's contradictions

Venezuela describes itself as the Bolivarian Republic of Venezuela. Simon Bolivar is a great hero of the Hemisphere whose name is a symbol of freedom from colonialism, Spanish colonialism specially. Yet it is in the name of Spanish colonialism that Venezuela seeks to hoist its flag over Guyana's Essequibo region – more than half of Guyana. It was to become a voracious craving of Venezuela – already nearly 4 ½ times the size of Guyana; with a population of 30.5 million, almost 40% larger than Guyana; and a GDP in normal times of some US $540 billion as against Guyana's US $3 billion, some 180 times bigger.

With these gross *David and Goliath* disparities Venezuela's crusade is being driven now by a regime that presents itself as the Hemisphere's anti-imperialist champion. The Maduro regime is a contradiction in terms. In its reliance on propaganda and demagoguery it has abandoned even a semblance of argument. For sixty years Venezuela cherished the 1899 Award; now President Maduro discards even the need to explain that away and resorts to bluster and flagrant falsehoods.

Rogue states

How can that happen in a world in which relations between nations are governed by acceptable universal norms and the rule of law is supposed to prevail – in a world in which all countries are pledged to respect and uphold the principles and purposes of the Charter of the United Nations? The answer is that States which consistently flout international law are rogue states and this is something which Venezuela should be careful not to be regarded as. So it is in this sense that we call upon Venezuela to change course and to abide by the rule of law.

What Venezuela describes as its 'claim' to Essequibo is rooted, as we have seen, in its rejection of every relevant international agreement over five centuries – from the Treaty of Munster in 1648, to the Treaty of Washington in 1897, to the Geneva Agreement in 1966. Is it any wonder that the place Venezuela least wants to go is the International Court of Justice? They are afraid of internationalism, they are afraid of judicial process, they are afraid of what justice will require of them.

It follows that the cause is not only Guyana's. Were Venezuela's stratagems to prevail, the frontiers of innumerable countries the world over would be in jeopardy; for the sanctity of treaties which is the glue holding the international community of states together, would have melted. Guyana's resistance of Venezuela's perverse contentions is a global service.

The Venezuelan claim of a massive chunk of Guyana's territory is a calumny born of greed, nurtured by falsity and fable, and maintained by political demagoguery. It is a claim that is contemptuous of the rule of international law and scornful of the sanctity of treaties. It is a claim that threatens the sovereignty and territorial integrity of Guyana and the peace of its region of the world. The 50th anniversary of Guyana's Independence cries out for release from this iniquity.

A clear path to 'judicial settlement'

In September 2015, Guyana's new President, David Granger, called upon the Secretary General of the United Nations, Ban Ki Moon, to have Venezuela's contention that the Arbitral Award of 1899 is 'null and void' settled with finality by judicial process under the Geneva Agreement. It is a legal contention and eminently suitable to resolution by the world's highest juridical body. The Secretary General is now seized of the matter.

Meanwhile, Venezuela's hostility persists. As recently as 4 February 2016 the Foreign Minister of Venezuela, Delcy Rodríguez, chose the precincts of the United Nations to issue a statement under the title 'Venezuela ratifies its rights over the Essequibo at the UN'. On 11 February 2016, Guyana's Vice-President and Foreign Minister, Carl Greenidge, made a statement of repudiation in Guyana's National Assembly. He ended it as follows:

The people of Venezuela are our sisters and brothers and Guyana holds out the hand of friendship to them. But there are forces in Venezuela who have made it their life's mission, abusing the hallowed memory of Bolivar to hold Guyana hostage to their crusade of greed.

Guyana is a child of decolonisation. Its ancestry lies in the Charter of the United Nations – its purposes and principles. Guyana's sovereignty and territorial integrity are its international heritage. We will ever remain faithful to the demands of both; and we look to the international community to stand with us in Venezuela's assaults upon them.

All Governments in Guyana have faced these predatory challenges over the first fifty years of Independence: all Prime Ministers, all Presidents, all political parties, all the people of Guyana. And they have faced them in solidarity. The Opposition in Guyana's Parliament today is part of the country's advisory body on 'border' issues. And so has it been before. It is essential that it so continues. A united Guyana can be confident that we shall overcome these challenges on all fronts. Our neighbours must know that they challenge a united Guyana. They must hear ringing across our borders the *Song of the Republic* sung with clear voice and from stout hearts:

From Pakaraima's peaks of pow'r
To Courantyne's lush sands,
Her children pledge each faithful hour
To guard Guyana's lands.
To foil the shock of rude invader
Who'd violate her earth
To cherish and defend forever
The State that gave them birth.

NATURAL SCALE = 1:200,000 OR 3·1565 MILES = 1 INCH

Reference   Astronomical positions.   Triangulation Stations   Roads and Trails

Boundary Lines — — — — — ⎫ Proposed Boundary Line — ·· — ·· —
shewn coloured thus — · — · — · ~ ~ · ⎬ Boundary mark on Mt Roraima

Astronomical Positions

NAME OF PLACE	LATITUDE.N.	LONGITUDE W OF GREENWICH	AUTHORITY	NAME OF PLACE	LATITUDE.N.	LONGITUDE.W. OF GREENWICH	
...ta Playa	8 33 22	59 59 48·5	1st Expedition	Camp 3 Cuyuni River	6 49 28·9	60 39 12·8	3
...ruruma River Mth	8 18 44	59 48 10	,, ,,	Camp 4 ,, ,,	6 47 04·8	60 46 36·3	
...ndary Mark do	8 19 00	59 48 22·7	,, ,,	Ekerehu River Mouth	6 43 02·8	60 56 23·7	
...uruma River Hd	8 14 05·3	59 50 07·9	,, ,,	Wenamu River ,,	6 42 40·9	61 08 00·7	
...owa River Mth	8 13 04	59 56 39·1	,, ,,	Pathawaru Wenamu R	6 26 02·3	61 07 54·1	4
...ancha, Amacura R	8 02 18	60 05 00	,, ,,	Arawai Fall ,,	6 19 36·5	61 09 22·7	
Victor, ,,	7 58 42	60 10 05·5	,, ,,	Tshuau Village ,,	6 11 45·8	61 07 22·1	
Horqueta, ,,	7 52 18·2	60 18 22	,, ,,	Kura Falls ,,	6 03 42·5	61 16 46·6	
...acura River Hd	7 49 00	60 21 53·1	,, ,,	Dead Man's Camp ,,	5 58 06	61 22 55·7	
...on Falls Barima R	7 38 24	60 20 37·8	2nd Expedition	W most source Wenamu R.	5 56 55·4	61 23 24·7	
...tar Camp ,,	7 35 37	60 23 13·8	,, ,,	Paruima River Camp	5 51 01·7	61 03 08·1	
...aku Camp ,,	7 33 19	60 37 07·5	,, ,,	Kamarang ,, ,,	5 43 37·2	61 04 15·5	
...ma River Head	7 28 24	60 41 31·2	,, ,,	Arriwe Matai	5 36 35	61 21 15·3	
...abisi River Head	7 08 27·7	60 20 51·1	,, ,,	Yuruani River	5 11 00	60 58 36·5	
,, Mouth	6 55 47·1	60 22 01·7	3rd Expedition	Kamaiwawong Village	5 10 11·1	60 41 45·3	
...2 Curuni River	6 51 32·3	60 32 21·5	,, ,,	Boundary Mark Mount	5 10 00·6	60 45 52·2	

MINISTERIO DE RELACIONES EXTERIORES, GUYANA

Esto es una traducción al español de los textos pertinentes de la publicación del 50 Aniversario de la Independencia del Ministerio de Relaciones Exteriores de Guyana: *GUYANA EN EL MUNDO: EL PRIMERO DE LOS PRIMEROS CINCUENTA AÑOS Y LA AMENAZA DEPREDADORA* escrita por invitación por el Sr. Sridath Ramphal; y otro material de apoyo. La traducción fue realizada por el Instituto de Idiomas, Inc. de Georgetown, Guyana.

Agosto 2016

Los Nuevos Conquistadores

La Amenaza Venezolana a la Soberanía de Guyana

Una inculpación del vecino occidental
de Guyana en nuestro 50 aniversario
de la Independencia

Ministerio de Relaciones Exteriores

GUYANA

Primera edición: 2016, Hansib Publications Limited
P.O. Box 226, Hertford, SG14 3WY
Reino Unido

info@hansibpublications.com
www.hansibpublications.com

ISBN 978-1-910553-66-4

Un registro del catálogo de CIP de este libro
se encuentra disponible en la British Library

Producido por Hansib Publications Limited

"Guyana se mantiene firme en la defensa contra todo tipo de agresión. Seguimos aferrados al ideal de la paz. Nunca, como un estado independiente, hemos provocado o utilizado la agresión en contra de otra nación. Nunca hemos utilizado nuestra influencia política para vetar los proyectos de desarrollo en otro país. Nunca hemos desalentado a los inversores dispuestos a invertir en otro país. Nunca hemos paralizado el desarrollo de otro estado-nación. No esperamos que ningún país intente hacer lo mismo con nosotros, ni tampoco lo vamos a tolerar".

Extracto del Discurso del Excelentísimo Brigadier David Granger, MSS, Presidente de la República Cooperativa de Guyana, al 11o Parlamento, Georgetown, el 9 de julio del 2015

Tabla de contenidos

Prólogo

El Sr. Shridath Ramphal tiene razón al comparar los primeros años de la independencia con la experiencia de nuestras jóvenes tortugas en Shell Beach haciendo frente a los peligros para llegar a la seguridad del hábitat marino. Para Guyana ha sido un camino lleno de peligros y traiciones y, en los 50 años de nuestro trayecto por el mundo, las amenazas aún no están completamente pasadas.

Este extracto del libro *Guyana en el Mundo: El primero de los primeros cincuenta años y la amenaza depredadora*, publicado para conmemorar nuestro 50 aniversario de la Independencia, se centra en este último. Es una crónica de cómo hemos logrado sobrevivir a las amenazas implacables a nuestra integridad territorial de nuestros

Carl B. Greenidge
Ministro de Relaciones Exteriores

vecinos del oeste que han lanzado miradas envidiosas a nuestro patrimonio, tanto en tierra como en mar. A pesar de las tradiciones de Bolívar, Venezuela sigue las huellas de los colonizadores y, al igual que un nuevo conquistador, niega a Guyana más de la mitad de su territorio. Su indiferencia a la ley internacional y las costumbres globales del siglo XX hace que la causa de Guyana sea la de todo el mundo. Es necesario que se dé a conoce al mundo su transgresión de los valores internacionales. Nuestra fe está en el mundo, en la organización de Naciones Unidas, en cuyas salas entramos hace 50 años.

Hemos tratado de presentar esto en español para hacer frente a lo que sabemos que se ha ocultado y presentar los hechos que se han distorsionado en gran medida.

Carl B. Greenidge
Ministro de Relaciones Exteriores
GUYANA

La amenaza Venezolana a la soberanía de Guyana

En la costa del noroeste de Guyana, la Costa del Essequibo, se encuentra *Shell Beach*. Es la quintaesencia de Guyana por su necesidad de protección de las tortugas recién nacidas que salen de sus arenas doradas para luchar por sobrevivir frente a los depredadores que encuentran en su camino. Los primeros cincuenta años de Guyana han sido como los primeros momentos peligrosos de nuestras tortugas. Y al igual que ocurre con ellas, ha sido y sigue siendo responsabilidad del mundo proteger a los países recién nacidos como Guana de los depredadores que tratan de devorarlos. El mundo intenta cumplir con esa responsabilidad esencialmente por el derecho internacional. Al violar el derecho internacional, otros en sus fronteras tratan de despojarlos del derecho a la supervivencia que es su patrimonio. Esto es lo que ha ocurrido con Guyana. Y como cincuenta años no son más que una hora en la vida de una nación, aquella amenaza a la supervivencia persiste hoy, al celebrarse el 50 aniversario de su Independencia, obtenida el 26 de mayo del 1966.

Tortugas recién nacidas en Shell Beach, Essequibo

La amenaza de Venezuela a Guyana

El proceso de descolonización es para muchos el logro más grande del mundo posbélico, y la independencia de Guyana formó parte de él. Fue un proceso bien recibido por la mayoría de las personas y los gobiernos que aman la libertad. Pero el Gobierno de su vecino del oeste no compartió la acogida de la libertad de Guyana que, irónicamente, nombraría a su país *la República Bolivariana de Venezuela*. Aquella aversión singular a la libertad de Guyana fue lo opuesto a todo lo que simboliza Simón Bolívar. Y Venezuela no solamente cultivó resentimiento. De manera anti-bolivariana, Venezuela trató de obstaculizar la independencia de Guyana para evitar el inicio de los últimos cincuenta años. Esto no podría ser el deseo ni el trabajo de nuestros hermanos y hermanas en Venezuela, la gente común de nuestra tierra vecina. Son vecinos contra los que la población de Guyana no siente ninguna animadversión. Pero hay clases y fuerzas en Venezuela que han hecho de la adquisición de la mayor parte de Guyana su razón de ser, y trataron de convertirla en una cruzada nacional, siendo Venezuela el quinto país más grande de América del Sur, y Guyana uno de los más pequeños.

El Tratado de Washington, 1897

Ya en 1962, cuatro años antes de la Independencia de Guyana, el entonces gobierno venezolano se había aprovechado de la libertad pendiente de Guyana para tratar de reabrir con Gran Bretaña una controversia fronteriza que se había resuelto hacía tiempo sobre más de la mitad de la superficie de Guyana. Fue una afirmación espuria y, en cierto modo, siniestra; y este fue su segundo intento de robar patrimonio a Guyana. Tres meses antes de la independencia de Guyana, a principios de 1966, Gran Bretaña invitó a la Guyana "a punto de ser independiente" a unirse a sus conversaciones con Venezuela con la esperanza de que el nuevo país pudiera, al nacer,

librarse de la codicia de Venezuela. El resultado fue el Acuerdo de Ginebra entre Venezuela y el Reino Unido, mediante el que, al obtener la independencia, Guyana se convirtió en parte del tratado 'además de' Gran Bretaña. Fue nuestra primera incursión internacional; y asistimos tanto el Primer Ministro Burnham como yo. Soy, tal vez, el único de todas las partes que sigue vivo en el quincuagésimo cumpleaños de Guyana.

Esa reunión en Ginebra no debería haber sido necesaria, pues el problema de la frontera de Guyana con Venezuela había quedado resuelto formalmente más de cien años antes por un Tribunal Internacional de Arbitraje en virtud de un tratado firmado libremente por Venezuela y ratificado por su Congreso.

El Presidente Joaquín Crespo elogiando el Tratado de Washington para el Congreso venezolano el 20 de febrero 1897 para ratificación

"Es eminentemente justo reconocer el hecho que la gran República (Estados Unidos de América) ha intentado vigorosamente dirigir este asunto de la manera más favorable, y el resultado obtenido representa un esfuerzo de inteligencia y buena fe digno de elogio y agradecimiento por nuestra parte, que estamos muy íntimamente familiarizados con las condiciones de esta complicada cuestión. Es su deber conforme a la ley constitucional de la república examinar el tratado que el Ministro Plenipotenciario venezolano firmó de acuerdo a las bases referidas y el cambio propuesto por el poder ejecutivo con respecto a la formación del tribunal arbitral.
Y ya que esto es un asunto de tan alta importancia que implica intereses tan sagrados, les ruego que en el momento que se presente para su consideración, pospongan todo otro asunto hasta que decidan al respecto." (Traducción).

Desde mucho tiempo atrás, Venezuela había lanzado miradas envidiosas a la región de Essequibo de Guyana, que representa unos dos tercios del país. Gran Bretaña reclamó a su vez el Delta del Orinoco de Venezuela, rica en petróleo. Era la época de la Doctrina

Monroe y Estados Unidos, en calidad de patrón de Venezuela, había presionado a Gran Bretaña por insistencia de Venezuela para que firmara el Tratado de Arbitraje con Venezuela bajo amenaza de guerra. Así de feroz era la postura hemisférica de Estados Unidos. Eso fue el 2 de febrero de 1897. Fue un Tratado para conformar definitivamente la frontera entre Venezuela y la colonia británica de Guyana Británica. Venezuela y Gran Bretaña se comprometieron en términos solemnes *"a considerar los resultados de los procedimientos del Tribunal de Arbitraje como una solución completa, perfecta y definitiva de todas las cuestiones planteadas a los árbitros".*

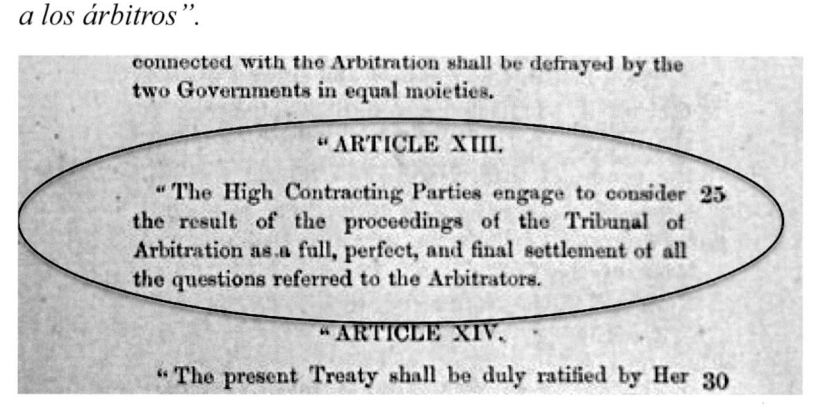

El Tratado de Washington, 1897

El Tribunal Arbitral

Venezuela afirmó que eran los herederos del colonialismo español y que España había ocupado más de la mitad de la colonia británica antes de que llegaran los británicos. El Tribunal profundizó en el análisis más detallado de la historia de la ocupación del territorio. Los argumentos llevaron cuatro horas cada día, cuatro días a la semana y duraron un período de casi tres meses. Las actas literales de las audiencias ocupan 54 tomos impresos - con casos y contra-casos, y la documentación complementaria, correspondencia y pruebas. El Tribunal fue presidido por el señor de Martens, Profesor de Derecho Internacional en la Universidad de San Petersburgo,

tal vez el abogado internacional más eminente de la época. Los otros jueces fueron: por parte de Venezuela, el Presidente del Tribunal Supremo de Estados Unidos Weston Fuller, nombrado por el presidente de Venezuela; el Juez David Josiah Brewer, designado por el presidente de los Estados Unidos y, por parte de Gran Bretaña, Lord Russell de Killowen (Señor Presidente del Tribunal Supremo de Inglaterra) y Sir Richard Henn Collins, Señor Juez de Apelación del Tribunal Superior Inglés. Estos cuatro jueces eligieron al profesor de Martens como el Presidente del Tribunal.

> **Reglas de Procedimiento del Tribunal de Arbitraje Artículo XXIV**
>
> **La adjudicación definitiva, debidamente declarada y comunicada a los agentes de los dos gobiernos que están en disputa, se considerará que decide definitivamente los puntos en disputa entre los gobiernos de Gran Bretaña y de Estados Unidos de Venezuela en relación con las líneas de sus respectivas fronteras, y finalmente se cerrarán todos los Procedimientos del Tribunal de Arbitraje establecidos por el Tratado de Washington.**

Venezuela aplaude el Laudo

El 3 de octubre de 1899, el Tribunal Internacional de Arbitraje presentó su concesión. En palabras del bufete de abogados a cargo del caso de Venezuela, escrito en el *American Journal of International Law* [Revista Americana de Derecho Internacional] a finales de 1949: "La concesión aseguró a Venezuela la desembocadura del Orinoco y el control de la cuenca del Orinoco, siendo estas las cuestiones más importantes". A Gran Bretaña se le concedió la parte menos importante. Fue un éxito para Venezuela; el bufete de abogados utilizó el informe de la revista prestigiosa sobre la concesión para adornar sus credenciales. No eran arrogantes. En los días siguientes a la adjudicación, el 7 de octubre de 1899, el embajador de Venezuela en Gran

Bretaña, José Andrade – hermano del entonces presidente venezolano – comentó: *Nos dieron el dominio exclusivo sobre el Orinoco, que era el objetivo principal que tratamos de lograr a través del arbitraje.*

LA JUSTICIA DE LA CONCESIÓN

"Verdaderamente se hizo justicia cuando, a pesar de todo, en la determinación de la frontera, nos fue concedido el dominio exclusivo de la Orinoco, que es el objetivo principal que nos planteamos obtener a través del arbitraje. Considero que los humildes esfuerzos que dediqué personalmente para este fin durante los últimos seis años de mi vida pública fueron provechosos".

Sr. Andrade, Ministro de Venezuela en Londres, 7 de octubre de 1899

Dos meses después de la concesión, el presidente de Estados Unidos, William McKinley, (patrón de Venezuela) confirmó el ánimo de satisfacción en Caracas en su Mensaje del Estado de la Unión al Congreso el 5 de diciembre 1899.

Mensaje del Estado de la Unión del Presidente McKinley al Congreso el 5 de diciembre de 1899.

"La Comisión Internacional de Arbitraje designada en virtud del Tratado anglo-venezolano de 1897 dictó una concesión el 3 de octubre por la que se determina la línea fronteriza entre Venezuela y la Guayana Británica; poniendo así fin a una controversia que había existido durante la mayor parte del siglo. El laudo, dado que los árbitros fueron unánimes, aunque no reconocen las afirmaciones extremas de ninguna de las partes, da a Gran Bretaña una gran parte del territorio interior disputado y a Venezuela toda la desembocadura del Orinoco, incluyendo Punta Barima y una determinada distancia del litoral caribeño hacia el este. La decisión parece ser igualmente satisfactoria para ambas partes."

Demarcación de la frontera

Como se requiere por el Tratado y la concesión, el límite determinado por la concesión fue demarcado sobre el terreno entre 1900 y 1904 por los comisarios designados por el Reino Unido y Venezuela. Para Venezuela, los miembros de la Comisión eran el Dr. Abraham Tirado, Ingeniero Civil de los Estados Unidos de Venezuela y Jefe de la Comisión de Fronteras y el Dr. Elías Toro, Cirujano General de 'la Ilustre Universidad Central de Venezuela' y Segundo Comisionado en nombre de Venezuela. El 7 de enero de 1905, se redactó un mapa de delimitación oficial delineando los límites como se adjudicaron y delimitaron, firmado por el Dr. Tirado y el Dr. Toro, y por los comisarios británicos H. J. Perkins y C. Wilgress Anderson, y promulgado en Georgetown en la Corte Combinada.

El informe presentado al Gobierno de Venezuela por el Dr. Tirado, el jefe de los Comisionados de Fronteras de Venezuela, dice mucho del reconocimiento y la satisfacción de Venezuela con el Tratado, la concesión y el mapa, como indicaron las palabras finales de su informe.

Informe del Dr. Tirado Remitiendo el Mapa de Delimitación Oficial

El trabajo honorable se ha terminado y la delimitación entre nuestra República y la Colonia de Guayana Británica es un hecho consumado. Yo, satisfecho con el papel que me tocó desempeñar, felicito a Venezuela, representada por su Administrador patriota, quien domina sus destinos y observa con orgullo generoso la resolución de la larga e irritante disputa que ha causado tanta molestia a su país durante su régimen.

Abraham Tirado
20 de marzo de 1905

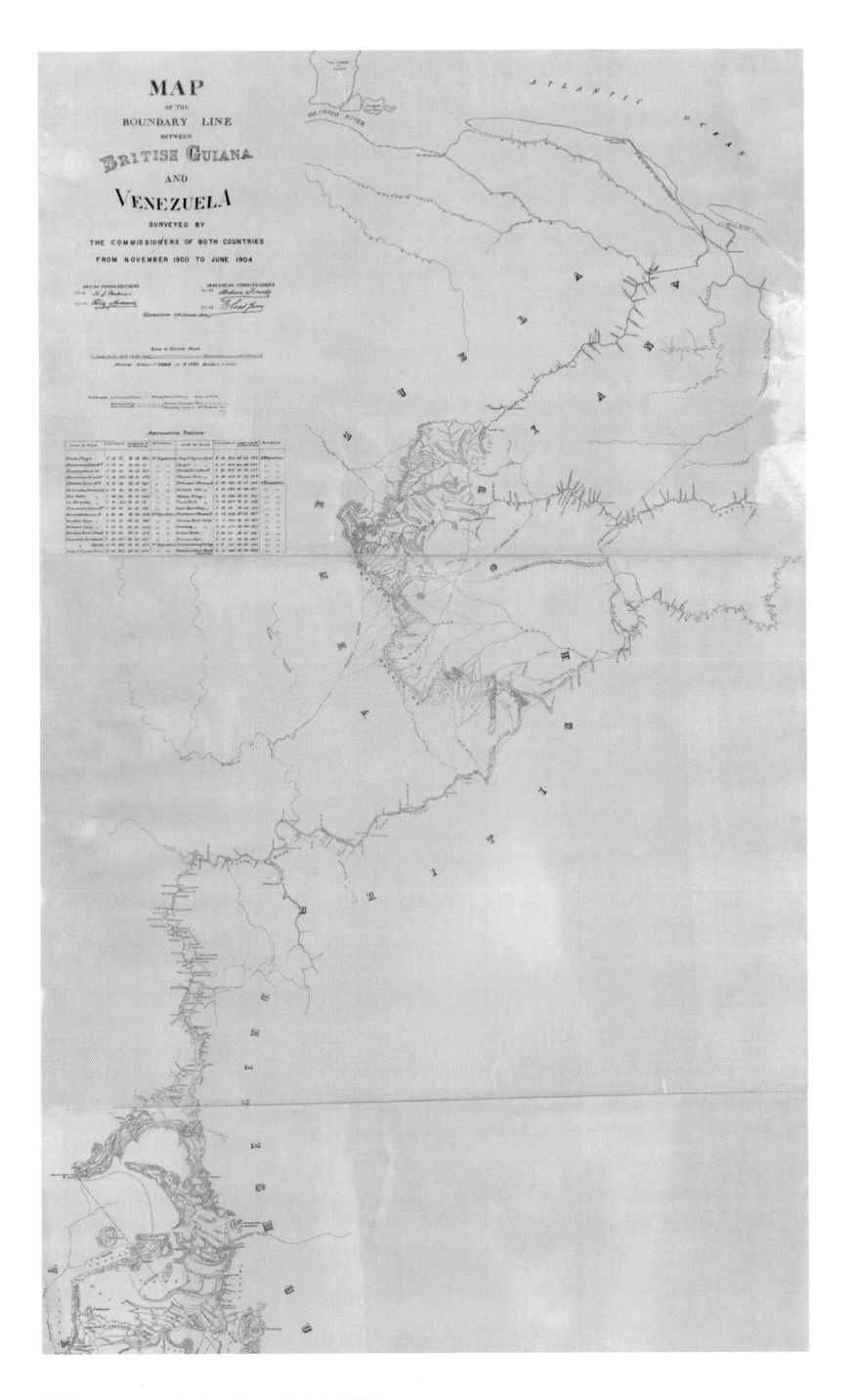

El Mapa de delimitación oficial, 1905

Venezuela protege la Frontera

Que la adjudicación no se había realizado de forma fraudulenta y que la delimitación referida había sido adecuadamente llevada a cabo en 1911 en sustitución de la marca en el punto de la Frontera (Punta Playa) cuando se descubrió que el mismo se había arrastrado más al norte. Venezuela insistió en que la sustitución se realizara estrictamente de acuerdo con el Laudo Arbitral de 1899 de París. El entonces Presidente de Venezuela autorizó específicamente la empresa.

> **General Juan Vicente Gómez**
> **Presidente de los EE.UU. de Venezuela**
>
> **CONSIDERANDO que confiero plenos poderes a que en su calidad, un Comisionado siguiendo las instrucciones dadas proceda a reemplazar el poste que fue arrastrado por el mar en el extremo de la frontera entre Venezuela y la Guayana Británica en Punta Playa con otro que necesariamente será colocado en el preciso punto en el que la línea de límite corta ahora la línea establecida en mil novecientos conforme al Laudo firmado en París el 3 de octubre por la Comisión Mixta anglo- venezolana.**
>
> **(Firmado) J. V. Gómez**
> **Traducción (firmado) Antonio G. Monagas**
> **Cónsul de los EE.UU. de Venezuela.**

Era la frontera que se muestra en ese mapa definitivo de 1905, certificada con orgullo por su ministro de Relaciones Interiores, F. Alientaro, la que el entonces Gobierno de Venezuela empleaba para celebrar sus primeros cien años de la Independencia en 1911. Un siglo y cinco años más tarde, cuando Guyana celebra los primeros cincuenta años de su libertad, Venezuela rechaza ese mapa, el mismo que había celebrado en el nombre de Bolívar durante más de 60 años, para negarle a la nueva Guyana su propio patrimonio.

No siempre fue así; en 1931, por ejemplo – y hay muchos casos de fidelidad de los funcionarios venezolanos al Laudo Arbitral de 1899 – en el contexto del punto tripartita de la frontera entre Brasil, Guyana y Venezuela, Venezuela insistió en permanecer estrictamente de acuerdo con Laudo Arbitral de 1899 y el Mapa de Límites Oficial. Ante la propuesta británica de un ajuste menor por acuerdo, Venezuela argumentó que, por razones constitucionales, no se apartarían de lo especificado en el Laudo Arbitral de 1899. El ministro venezolano de Relaciones Exteriores, P. Itriago Chacón escribió (en la traducción) el 31 de octubre de 1931 para explicar su objeción, en principio, a cualquier cambio en la frontera establecida.

Venezuela rechaza cualquier cambio desde la línea del Laudo Arbitral de 1899 La carta del canciller Chacón

"En la actualidad también existen objeciones de principio a una alteración de común acuerdo a la frontera de Derecho, ya que, como esta frontera es el resultado de un tratado público ratificado por la legislatura venezolana, sólo podría ser modificado por un proceso que llevaría un tiempo considerable, incluso suponiendo que se pudieran superar otras dificultades, también de principio.."

31 de octubre de 1931

Diez años más tarde, en la década de los cuarenta, un canciller de Venezuela, el Dr. Gil Borges, le reafirmaría a un embajador británico en Caracas, D. St. Clair Gainer, en el contexto de un comentario de prensa sobre la sentencia arbitral, que – tal como el Embajador le había informado – *"De vez en cuando aparece en la prensa un artículo raro sobre la Guayana británica, pero no necesito prestar atención a ellos; pues son artículos escritos por personas, obviamente, con poco conocimiento que nunca han tenido acceso a los archivos oficiales. En lo que concierne al Gobierno de Venezuela, la única frontera satisfactoria que poseía, (en aquel*

momento), era la frontera de la Guayana Británica y no se les ocurriría ponerlo en duda. Al Embajador Gainer se le había confirmado nuevamente que el asunto era caso cerrado, y así lo afirmó el Ministro.

Habría sido mucho más digno habría sido que Venezuela hubiese continuado adoptando la postura francamente honesta que asumió su ministro de Asuntos Exteriores en aquel entonces, en 1941.

Es la sórdida historia de cómo Venezuela abandonó el camino de la decencia, y con ella el estado de derecho; y cómo, sobre todo ahora, sus gobernantes tratan de despojar a Guyana de su patrimonio y estropear el ambiente de nuestro 50 aniversario.

Reaparece la avaricia venezolana

La controversia de Guyana con Venezuela siempre ha tenido un borde más cortante que otras, tal vez porque se deriva de un mayor grado de avaricia cultivada y estratagemas calculadas - todas sostenidas por el conocimiento de la desigualdad de fuerzas. Estos no son atributos del pueblo venezolano; sino que habitan con los círculos del poder venezolano, tanto civiles como militares; se auto-sustentan y alimentan de sus mitos y ambiciones entremezcladas, y generan nuevas falsedades que comienzan a creer. Durante sesenta años los gobiernos de Venezuela respetaron, adoptaron, incluso protegieron la frontera de 1899; sin embargo, hoy el presidente Maduro se permite decir en una distorsión estudiada de la historia: *Con el siglo XX llegó la tercera etapa. El Tratado de París fue denunciado como no válido.* Con el 'Tratado de París' se refiere al Tribunal de Arbitraje que se reunió en París y el Laudo Arbitral de 1899, así como el límite demarcado que Venezuela ha respetado durante sesenta años de ese siglo XX - una distorsión más en la que se está construyendo otra estratagema de despojo: que puede tener

tanto que ver con la vorágine política interna de Venezuela como con las relaciones entre Guyana y Venezuela.

Así que, ahora que Guyana recurre a destacar con orgullo el 50º aniversario de su independencia, el arreglo de su frontera con Venezuela, asegurada por la sentencia arbitral 1899 y su demarcación oficial, se ve bruscamente amenazada por las fuerzas de Caracas - como continuación de los esfuerzos anteriores por subvertir las normas del derecho internacional y prácticamente robar la esencia de Guyana.

Venezuela, satisfecha inicialmente con sus logros en el Laudo Arbitral de 1899, aunque sin evitar las quejas de los codiciosos ávidos de más, procedió a cumplir el destino que la gran riqueza mineral de su suelo le brindaba - incluida la cuenca del Orinoco, obtenida a través de Laudo Arbitral; y sin el que esa región habría continuado en disputa. Durante de la mayor parte de la primera mitad del siglo XX, no se encontró nada en contra de la concesión; y cuando en 1962 esta parte se decidió volver a abrirla con Gran Bretaña, alrededor de 60 años después de que esta la hubiera cerrado con insistencia, lo hizo con moderación y prudencia, bajo condiciones de igualdad. Pero el tiempo estaba de parte de Venezuela para quien, con la riqueza nacional ahora asegurada, la expansión hacia el este se había convertido en una cruzada imperial. Y el terreno estaba bien preparado.

La estratagema Mallet-Prevost

A la primera señal de movimiento de Guyana hacia la independencia, el Gobierno de Venezuela inició una vigorosa controversia sobre fronteras amparada en el más tenue de los motivos. La única fuente de estos motivos fue, y sigue siendo hasta el día de hoy, un memorando escrito por un abogado estadounidense,

Severo Mallet-Prevost, que era uno de los juristas para Venezuela durante la audiencia del Tribunal de Arbitraje. Fue escrito en 1944, justo después de haber recibido del Gobierno de Venezuela la Orden del Libertador por sus servicios a la República. Pero en aquel momento no se contó este cuento calumnioso sino que se incrustó en un memorando secreto y entregado a su socio de profesión en Washington con instrucciones estrictas para ser abierto y publicado después de su muerte. Murió en 1949, cuando todos los demás participantes en el procedimiento arbitral habían fallecido hacía tiempo. El memorándum póstumo sostenía que el Laudo Arbitral de 1899 fue el resultado de un acuerdo político entre Gran Bretaña y Rusia, efectuado por la confabulación entre los jueces británicos y el presidente ruso del tribunal, y acordado en el interés de la unanimidad por los jueces de Estados Unidos después de haber consultado con los abogados estadounidenses (incluido él mismo) que Venezuela había elegido.

Venezuela instrumentó su campaña internacional contra Guyana cuando nos acercábamos a la independencia bajo este pretexto endeble de las memorias póstumas dejadas por un anciano decepcionado unos 45 años después de los acontecimiento, estos jirones y parches bordados con especulaciones, ambigüedades y alusiones a evidencias nuevas, pero no reveladas; estas calumnias contra cinco de los juristas más eminentes del mundo de su tiempo. A medida que la fecha se acercaba, la campaña se volvió más feroz, amenazando de manera solapada e indirecta el avance de la Independencia. Esto dio lugar a las conversaciones británicas en Ginebra en 1966, tres meses antes de la independencia de Guyana.

Después de que el Dr Jagan hubiera mencionado el tema de la independencia de Guyana en las Naciones Unidas a finales de 1961 y se pronunciara en el Cuarto Comité el 18 de diciembre de 1961, Venezuela puso en tela de juicio la frontera con la colonia por

primera vez en dicha organización. Lo hizo en febrero de 1962 en el Cuarto Comité, pero trató por todos los medios de destacar su inocencia, como en la conversación entre el Ministro Asesor de la Misión de Venezuela en las Naciones Unidas, el Sr. Walter Brandt, con la Misión de Estados Unidos registrada el 15 de enero de 1962 que hacía referencia al *aide-mémoire* del 12 de enero de 1962. Ambos registros están desclasificados.

Extracto del Memorando de Conversación del Departamento de Estado de EE. UU. con fecha del 15 de enero de 1962 con el Sr. Walter Brandt de la Misión Permanente de Venezuela en las Naciones Unidas.

"Explicó que Venezuela no ponía en tela de juicio la legalidad del Laudo Arbitral, aunque creía justo que se revisara el Laudo, ya que lo había dictaminado un tribunal de cinco jueces en el que no había ningún venezolano;... Venezuela cree que el Laudo ha sido desigual y cuestionable desde un punto de vista moral (viciado).

El Sr. Brandt indicó que la acción prevista por Venezuela en el Cuatro Comité no se debía interpretar como una solicitud por parte de Venezuela de reabrir la cuestión de la frontera, como tampoco constituía un intento de bloquear los posibles gestos de la ONU a favor de la independencia de la Guayana Británica".

Obviamente, como confirmaron los acontecimientos, pronto se abandonaron estas afirmaciones de inocencia. El Laudo Arbitral no se convirtió en "inmoral", sino en "nulo", y ningún "bloqueo" de la independencia de la Guayana Británica insistió en que no debería suceder salvo que se revisara la frontera. A medida que se acercaba la fecha de la independencia, aumentaba la agitación, lo que amenazaba de forma indirecta y encubierta el avance de la independencia. Por este motivo tuvieron lugar las conversaciones británicas en Ginebra en 1966, tres meses antes de la Independencia de Guyana.

La dimensión de la 'Guerra Fría'

Pero había más, oculto hasta ahora en el secreto de archivo. Aunque se sospechaba desde hacía mucho tiempo, los Documentos Estatales Americanos (tanto de la Casa Blanca como del Departamento de Estado ya desclasificados) han revelado ahora una trama más oscura. En los años 1950 y 1960, en un contexto de "guerra fría", había una seria preocupación occidental, impulsada principalmente por Estados Unidos, de que la independencia de Guyana en el marco de un Gobierno dirigido por Jagan resultara en otra Cuba, esta vez en el continente sudamericano. En 1962, el entonces presidente de Venezuela Rómulo Betancourt decidió aprovecharse de este miedo a la 'otra Cuba' en un Guyana independiente y proponer un plan de desarrollo de la región del Essequibo por parte de inversores estadounidenses y británicos, no como parte de la Guayana Británica, sino bajo 'la soberanía venezolana'. Se trababa de una excusa para la intervención y la adquisición so pretexto de frenar la propagación del 'comunismo'.

Un envío realizado el 15 de mayo de 1962 por el embajador estadounidense en Caracas (C. Allan Stewart) transmitió al Departamento de Estado las opiniones de Betancourt sobre la "cuestión fronteriza" como se habían mostrado "en el transcurso de varias reuniones" con él. Escribió con la astucia de un diplomático maduro:

> *"El presidente Betancourt se encuentra muy preocupado por la Guayana Británica independiente con Cheddie Jagan como primer ministro. Él sospecha que Jagan está ya demasiado comprometido con el comunismo y que su esposa estadounidense ejerce una influencia considerable sobre él..... Esta alarma puede estar un poco simulada puesto que la solución del conflicto de la frontera de Betancourt presupone un Jagan hostil.*

"Su plan: a través de una serie de conferencias con los británicos antes de que se le concediera la independencia a Guayana, se establecería un cordón sanitario entre la actual línea divisoria y una acordada mutuamente entre los dos países (Venezuela y Gran Bretaña). La soberanía de esta porción de la Guayana Británica pasaría a Venezuela. ....

"Por supuesto, la razón para la existencia de la franja de territorio, de acuerdo con el Presidente, era el peligro de la infiltración comunista de Venezuela desde la Guayana Británica, si alguna vez se estableciera un gobierno castrista..... Parecería lógico que Venezuela a partir de ahora persiguiera la idea del cordón sanitario para protegerse de una Guayana Británica independiente con tendencias comunistas en lugar de enviar apoyo a la oposición de Burnham".

Un año más tarde, el 30 de junio de 1963, el presidente Kennedy se reunió con el primer ministro de Gran Bretaña Macmillan en Birch Grove en Inglaterra y, en el lado americano, el tema de la Guayana Británica fue el *"tema principal que el Presidente pretende(pretendía) plantearle a Macmillan"*. Esto escribió Dean Rusk (el Secretario de Estado estadounidense) la semana anterior en un telegrama secreto al Embajador Bruce (el embajador de Estados Unidos en Londres) buscando sus opiniones "sobre la mejor manera de convencer a nuestros amigos británicos de la gravedad mortal de nuestra preocupación y nuestra determinación que la Guayana Británica no se haga independiente con un gobierno comunista. "El carácter común de la motivación entre Kennedy y Betancourt era bastante notable. Mucho más notable es la herencia, adopción y vigorosa búsqueda de un legado de la CIA abandonado por un gobierno venezolano declarado radical y antiimperialista del presente, y en el nombre de Bolívar.

Por supuesto, nada de esto se reveló nunca al pueblo venezolano, cuyo patriotismo fue infundido con la falacia simplista de que Gran Bretaña "robó" a Venezuela la región del Essequibo de Guyana. En sus mapas, y en sus mentes, era la 'Zona en Reclamación'. Por ello, fue el oponente político de Jagan, Burnham, quien dirigió la Guyana independiente. Pero para entonces, impulsada por la codicia de Venezuela, la "controversia" había adquirido vida propia, por lo menos para las fuerzas chauvinistas que la habían alimentado. Para aquellas fuerzas la fábula de Mallet-Prevost sería suficiente para perpetuar la afirmación que el Laudo Arbitral de 1899 es "nulo y sin efecto" y la región del Esequibo es automáticamente venezolana, ignorando deliberadamente las consecuencias de la contención de nulidad para el Delta del Orinoco, que el mismo laudo les había dado. Eso era y sigue siendo el argumento básico de Venezuela: que el Laudo Arbitral 1899 es "nulo y sin efecto" por la memoria póstuma de Mallet-Prevost.

El tormento de 'David y Goliat'

Así, la joven y desguarnecida Guyana, se enfrentó a esta situación de 'David y Goliat', y su consiguiente hostigamiento, desde su mismo nacimiento. Su única defensa era la diplomacia: un llamamiento a la comunidad internacional para salvar el estado emergente de las maquinaciones de su grande, rico, poderoso y, por desgracia, inescrupuloso vecino. Y en aquellos días, Venezuela trató de conseguir sus ambiciones territoriales sin el menor asomo de vergüenza. Impidió que Guyana formara parte de la Organización de Estados Americanos (OEA) hasta 1991 y, pocos meses antes de la independencia, violó la frontera descaradamente (en la isla de Ankoko), desafiando el Acuerdo de Ginebra. En ese mismo año comenzó a interferir en los asuntos internos de Guyana, alentando la subversión de las poblaciones indígenas de Guyana. En 1968,

mientras el Primer Ministro de Guyana realizaba una visita oficial a Gran Bretaña, Venezuela compró espacio publicitario en el periódico *London Times* (del 15 de junio), anunciando su no reconocimiento de las concesiones otorgadas por Guyana en la zona "reclamada". Luego, ese año, menospreciando del derecho internacional, el presidente Leoni emitió un "decreto" mediante el que pretendía anexionarse una franja de aguas territoriales adyacentes a la costa de Guyana. Se negó, por supuesto, a firmar la Convención sobre el Derecho del Mar, uno de los pocos países en el mundo que se ha excluido de *'la Constitución de los Océanos'*. La joven Guyana se enfrentó a desventajas abrumadoras. Su superación se convirtió en la misión de Guyana en el mundo.

Hablando en nombre de Guyana en el Debate General de la 23ª Sesión de la Asamblea General de la Organización de las Naciones Unidas (el 3 de octubre de 1968), dediqué todo mi discurso a la cuestión de los intentos de Venezuela por asfixiar a Guyana cuando se encontraba en pleno nacimiento. Yo lo llamaba: "Desarrollo o defensa: el estado pequeño amenazado con la agresión". Sigue siendo una oportuna descripción de las tribulaciones de Guyana a lo largo de sus cincuenta años de existencia.

He indicado anteriormente cómo, al rechazar los intentos tortuosos de Venezuela por interferir en la Independencia de Guyana, Gran Bretaña trató de librar a la nueva Guyana de la 'plaga' venezolana. El 17 de febrero del 2016 fue el 50 aniversario de la firma del Acuerdo de Ginebra de 1966. No es coincidencia que el 2016 sea también el 50 aniversario de la independencia de Guyana; pues la reunión de Ginebra representa el último esfuerzo de Caracas por entorpecer la independencia de Guyana.

El Acuerdo de Ginebra de 1966

El acuerdo fue entre Gran Bretaña y Venezuela; Guyana sólo se convirtió en una parte en la consecución de la independencia. Y de eso se trataba esencialmente: la Independencia de Guyana. Hasta entonces, Venezuela se había permitido una discusión con Gran Bretaña que el legado de Bolívar jamás podría haber bendecido, es decir, conservar el estado del colonialismo en la Guayana Británica hasta que se cambiara la frontera con Venezuela. El Acuerdo de Ginebra puso fin a aquel argumento anti-bolivariano. Guyana sería libre con sus fronteras intactas. Por ello Guyana consideraba que valía la pena conmemorar el Acuerdo de Ginebra; y así lo expresó. Es parte de los instrumentos fundacionales de la libertad de Guyana.

En ese contexto, el Acuerdo identificó con cuidado la naturaleza de la controversia continua de Venezuela con Gran Bretaña como "la controversia entre Venezuela y el Reino Unido que ha surgido como consecuencia de la contención venezolana de que el Laudo Arbitral de 1899 sobre la frontera entre la Guayana Británica y Venezuela es nulo y sin efecto. "Por esta controversia las "conversaciones" de Ginebra y su resultado en forma del Acuerdo de Ginebra fueron motivo de preocupación. Una vez identificada la controversia como la planteada por la contención de Venezuela de la nulidad del Laudo Arbitral de 1899, el Acuerdo de Ginebra pasó a concluir que los puntos en que ambas partes concordaban debían seguirse para resolver la controversia.

Se proporcionaba así un camino claro a una solución que termina en un proceso judicial. En primer lugar, habría una Comisión Mixta de 4 años, con representantes de Guyana y Venezuela, y si la Comisión no podía solucionar el asunto y los gobiernos no lograban ponerse de acuerdo sobre los medios a seguir para hacerlo, el Secretario General la Organización de Naciones Unidas sería el

árbitro de los "medios de solución" de aquellos establecidos en el Artículo 33 de la Carta de la Organización de Naciones Unidas. U Thant era el Secretario General de la ONU en 1966 y al recibir el Acuerdo respondió el 4 de abril de 1966 sin lugar a malentendidos.

Aceptación del Secretario General de la Organización de Naciones Unidas de las obligaciones establecidas en el Acuerdo de Ginebra: S.E. U Thant - 4 de abril de 1966 al Ministro de Relaciones Exteriores de Venezuela

"He tenido en cuenta las obligaciones que con el tiempo pueden recaer sobre el Secretario General de la Organización de Naciones Unidas en virtud del párrafo 2 del Artículo IV del Acuerdo y me complace informarle de que las funciones son de tal naturaleza que se pueden llevar a cabo adecuadamente por el Secretario general de la Organización de Naciones Unidas".

La Comisión Mixta no tuvo éxito en la resolución de la controversia. Los representantes de Guyana fueron Sir Donald Jackson (ex Presidente del Tribunal Supremo de la Guayana Británica) y el Dr. Mohammed Shahabudeen (más tarde, juez de la CIJ). La Comisión llevó a cabo muchas reuniones durante su existencia de 4 años. En la primera reunión Guyana invitó a Venezuela a presentar sus pruebas y argumentos en apoyo de su afirmación de que el Laudo Arbitral era "nulo y sin efecto". La respuesta de Venezuela fue que la cuestión de la "nulidad" no era un problema del que la Comisión Mixta debía ocuparse. La única cuestión ante la Comisión era la cantidad de la región del Essequibo que Guyana estuviera dispuesta a ceder ya fuera directamente o en el marco de un programa de "desarrollo conjunto". Las actas de las reuniones de la Comisión Mixta se registraron cuidadosamente y se firmaron con copias adjuntas al Informe Final e Informes Interinos, firmados por los Comisionados, que se dirigieron a ambos gobiernos.

Al no pronunciarse sobre su argumento jurídico básico de la nulidad en la Comisión Mixta, los comisarios de Venezuela admitieron que la cuestión de la solución judicial podría surgir en un momento posterior. *'La investigación jurídica de la cuestión* (de la nulidad), *de ser necesario, se procedería con el tiempo, por algún tribunal internacional conforme al Artículo IV del Acuerdo de Ginebra'.* Eso dijo Venezuela a finales de 1966 en el Primer Informe Provisional firmado en Caracas por los comisionados venezolanos Luis Loreto y G. García Bustillos. Hoy, cincuenta años después, Venezuela aún sostiene que no ha llegado ese momento posterior.

Cincuenta años de 'filibusterismo' venezolano

Pero la inhabilidad de la Comisión Mixta de encontrar una solución a la controversia se debió tanto a lo que se dijo en la Comisión como a lo que se hizo por parte de Venezuela más allá de las discusiones. He aludido a algunos de ellos anteriormente, a saber:

- Violación de la integridad territorial de Guyana en la Isla Ankoko
- El intento de Leoni de apropiarse aguas costeras de Guyana
- La agresión económica a través de campañas contra la inversión en Guyana
- La intervención en los asuntos internos de Guyana a través del 'levantamiento' de Rupununi.

Y hubo otros. Lo que la experiencia de la Comisión Mixta reveló fue una estrategia que Venezuela ha seguido desde hace más de cincuenta años, a saber: una fachada de discusión pacífica, pero infructífera, ocultando una política de analizada agresión de carácter político, económico y cada vez más militarista. Cuando se celebró la reunión de Ginebra en 1966, la expectativa era un proceso de

unos 10 años a la solución. En el marco del Protocolo de Puerto España, a la Comisión Mixta siguió una moratoria de 12 años, pero Venezuela la encontró demasiado restrictiva para su estrategia y se negó a extenderla. Luego siguieron veintisiete años de un proceso "de buenos oficios" dirigido por la ONU que no produjo nada a modo de solución, sino que favoreció la estrategia de la beligerancia continua de Venezuela. Con el inoportuno fallecimiento del último Representante Personal del Secretario General de las Naciones Unidas para ese proceso, el respetable Dr. Norman Girvan, Guyana indicó que el proceso había llegado a su fin. En el año del 50 aniversario del Acuerdo de Ginebra y de la independencia de Guyana que este anunció es evidente que ha llegado el momento de poner fin a esta indigna controversia.

Sin embargo, Venezuela asegura que sigue siendo motivo de controversia, aunque como es de esperar (dadas las maniobras del presidente Betancourt) menos rencoroso en el periodo de Hugo Chávez que en años anteriores. Sin embargo, después de Chávez, su sucesor el presidente Nicolás Maduro, sean cuales sean las presiones políticas internas, ha llevado la campaña venezolana de la usurpación a extremos aún más extravagantes - amenazando tanto la integridad marítima como la territorial de Guyana - y llegando más allá de Guyana, hasta el espacio marítimo de otros países de la Comunidad Caribeña.

La destrucción de los acuerdos internacionales

Un ex ministro de Relaciones Exteriores de un país centroamericano describió una vez los sucesivos gobiernos de su país vecino como "asesinos en serie de acuerdos internacionales". Fue una apta descripción. No se podría mejorar la descripción de Venezuela en sus relaciones con Guyana: ASESINOS EN SERIE DE ACUERDOS INTERNACIONALES. Es una acusación grave; no se debería

afirmar sin una buena razón y pruebas irrefutable; ya que las pruebas proclaman el rango más bajo del internacionalismo y la conducta vergonzosa en un momento en que el mundo ha establecido altos estándares de conducta civilizada de naciones, no inferiores a los de las personas. Esto lo hace, con buena razón e irrefutables pruebas.

Empecemos con el Tratado de Münster de 1648. La mitad del siglo XVII queda muy lejos. Venezuela como estado aún no había nacido. Las potencias europeas se disputaban el espacio en América del Sur. El Tratado de Munster entre España y los Países Bajos versaba esencialmente sobre sus ocupaciones; y en particular sobre el área con que contaban los holandeses en la región que sería Brasil, Venezuela y las Guayanas. Desde el Essequibo hasta el Orinoco, vigilada por Kyk Over Al, desde el Atlántico a través de la región de Pomeroon, el Tratado de Munster estableció los orígenes holandeses de Guyana. Como el juez Brewer sugirió en los procedimientos arbitrales de 1899 [vol. 8 p. 2234, etc.]:

"Las autoridades españolas reconocen que la concesión, o confirmación, o como se llame, en el Tratado, no era simplemente de la isla de Kijkoveral, sino del territorio que le pertenece y consideró que realmente el Pomeroon era parte del Essequibo..."

y, más tarde [en vol.9 en p.2648-9],

"Si hemos de considerarles con esa actitud o como si entraran en el territorio vacante, sin nadie en Kijkoveral, ni nadie en el Essequibo, y ocupan los bienes y el territorio no entonces ocupados, y por lo tanto tienen derecho no solamente a la zona en la que yace, sino a toda la franja, como Su Señoría juez Collins expresó felizmente y toda la zona de alrededor pasa a formar parte de la ocupación".

Pero eso no satisfizo la ambición de Venezuela, por lo que el Tratado tuvo que ser transfigurado: había que matar esta interpretación. Así, según Venezuela, el Tratado de Munster - con el que no tenía nada que ver - debe entenderse 250 años más tarde, en el sentido de que España cedió a los holandeses sólo los lugares que realmente poseyeron entonces en la Guayana, y que lo que no fue cedido fue retenido por España. El argumento británico era que Holanda no derivó el título por cesión, y no era tan limitado; que el Tratado no da ningún efecto de suma importancia al supuesto título de España por descubrimiento y que Holanda tenía la libertad de expandir sus pertenencias en las áreas de la Guayana no España ni retenía no poseía realmente en la fecha del Tratado. El argumento británico fue uno más de acuerdo con el lenguaje real del Tratado y fue el que el Tribunal adoptó claramente. Podría añadirse que este argumento concuerda con las opiniones expresadas posteriormente por Huber en su laudo autorizado y estrechamente razonado en el caso de la Isla de Palmas en el que dijo que el Tratado de Munster no prescribió ninguna frontera ni nombró ninguna región definida como pertenecientes a una potencia u otra, sino que estableció como criterio "el principio de la posesión". También consideró que el Tratado indirectamente se negó a reconocer el título basado en el descubrimiento.

Estos argumentos no están sometidos a revisión como en la naturaleza de una apelación; pero Venezuela entendió que tenían que ser exterminados como apoyo de un argumento histórico asumiendo el éxito del argumento inventado de que el Laudo del Tribunal es "nulo y sin efecto". Su primer acto de asesinato de los acuerdos internacionales pertinentes fue el sagrado Tratado de Munster de 1648, que ya había sido su objetivo durante la audiencia del Tribunal de Arbitraje de 1899. Salieron bastante bien del arbitraje, en palabras de sus abogados: "asegurando para Venezuela la desembocadura del Orinoco y el control de la cuenca del Orinoco,

siendo estas las cuestiones más importantes en litigio." Y, como hemos visto, en los 60 años siguientes adoptaron, respetaron e incluso protegieron la frontera, otorgada por el Tribunal y delimitada en el suelo: todo bajo el Tratado de Washington de 1897, que concluyeron con Gran Bretaña y ratificaron en su Congreso.

Pero llegó un momento en que aumentaron las fuerzas de la avaricia en Venezuela y tuvieron que encontrar formas de dejar de estar satisfechos con la frontera. Emplearon muchos métodos: memorias póstumas, incluso artificios de la "guerra fría". Pero el mayor impedimento de todos fue el mismo Tratado de Washington por el que se creó el Tribunal de Arbitraje, el Laudo otorgado, y la frontera establecida. Para las fuerzas codiciosas en Venezuela la respuesta fue clara el Tratado de Washington tenía que desaparecer. Otro asesinato de un antiguo Tratado.

La descripción más reciente de la muerte de este acuerdo internacional venerable, que había aportado paz, tranquilidad y buena vecindad a la frontera de Guyana y Venezuela durante más de 60 años, tuvo lugar el 28 de marzo de 2016. Las palabras son las del propio presidente Maduro en una entrevista estudiada y muy publicitada a teleSUR:

> *"El saqueo de Venezuela, como lo he descrito, se llevó a cabo a través de un tratado defectuoso, que Venezuela considera inválido y no reconoce."*

Seguramente no todos los venezolanos van a interpretar la historia así; pero el presidente Maduro habla por el Gobierno de Venezuela. Como tal, parece que ha olvidado que la concesión a Venezuela de la cuenca del Orinoco con la que sus abogados estaban tan satisfechos en 1899 se deriva de ese 'tratado defectuoso' y el Laudo del Tribunal en virtud del mismo.

Pero no todos los crímenes siguen el mismo camino. A diferencia del Tratado de Washington que se declara inválido y Venezuela ya no reconoce, el Acuerdo de Ginebra de 1966 se reconoce pero de forma distorsionada. Para la estrategia de Venezuela es fundamental una distorsión de su intención y significado con el fin de robar a su joven país vecino más de la mitad de su territorio. El Acuerdo de Ginebra, que puso fin al desesperado esfuerzo de Venezuela por impedir la independencia de Guyana con sus fronteras intactas, establecieron un camino claro para poner fin al argumento básico de Venezuela de que el Laudo Arbitral de 1899 es "nulo y sin efecto."

No cabe duda en el texto del Acuerdo y en su historia de que esta es la cuestión para la que el Acuerdo ofrece un camino a fin de que se resuelva a través de la autoridad que encomienda al Secretario General de la Organización de las Naciones Unidas, **un camino que podría conducir a una solución definitiva mediante el proceso judicial**. Sin embargo, la conducta de Venezuela constituye una violación de la norma de derecho internacional y lo último que quiere es la aplicación de la ley a su comportamiento incontrolado. Por lo tanto, tienen que distorsionar el Acuerdo para ignorar el argumento de "nulidad" y volver al Tratado de Munster de 1648, y, de hecho, antes de eso, a **una bula papal del siglo XV**. O mejor aún, ya que (a los ojos de Venezuela) el Tratado de Munster realmente ha desaparecido y el Tratado de Washington no es válido, aplicar una estrategia de continua pero infructuosa discusión, como una pantalla para el acoso constante de un vecino débil. Por lo tanto, se desecha el verdadero Acuerdo de Ginebra y se celebra uno falso.

A pesar de los esfuerzos de Venezuela, el Tratado de Munster conserva su significado antiguo, el Tratado de Washington sigue sosteniendo todo lo hecho en su nombre y el Acuerdo de Ginebra subsiste para asegurar el asentamiento definitivo de la controversia

de nulidad que afecta las relaciones entre Guyana y Venezuela. Por lo tanto, a menudo ser asesino en serie de acuerdos internacionales es una cuestión de intención y resulta perjudicial para la parte contra la que se dirige solamente si se permite. Pero podrían tener un impacto más amplio., Si esta conducta no se denuncia, está en juego la santidad de los tratados a nivel mundial. La cortesía internacional se basa en la conservación de esa santidad; y todo esfuerzo para destrozarla en cualquier parte perjudica a la comunidad internacional. Los esfuerzos de Venezuela por destruir los acuerdos internacionales en sus relaciones con Guyana infligen una herida global y requieren de la condena mundial.

Las contradicciones del régimen de Maduro

Venezuela se describe como la República Bolivariana de Venezuela. Simón Bolívar es un gran héroe del hemisferio cuyo nombre es símbolo de la libertad del colonialismo, especialmente el colonialismo español. Sin embargo, en nombre del colonialismo español Venezuela pretende izar su bandera sobre la región de Essequibo en Guyana, más de la mitad de Guyana. Iba a convertirse en un deseo voraz de Venezuela, que tiene casi 4 veces y media el tamaño de Guyana, con una población de 30,5 millones, casi un 40% más grande que Guyana, y un PIB en los tiempos normales de alrededor de 540 mil millones de dólares estadounidenses, frente al de Guyana de 3 mil millones de dólares estadounidenses, unas 180 veces superior.

Con estas enormes disparidades, de tipo David y Goliat, la cruzada de Venezuela se ve ahora impulsada por un régimen que se presenta como campeón antiimperialista del hemisferio. El régimen de Maduro es una contradicción en los términos. Debido a su dependencia de la propaganda y la demagogia, ha abandonado hasta la apariencia de un argumento. Venezuela valoró el Laudo de 1899

durante sesenta años. Ahora, el presidente Maduro descarta incluso la necesidad de explicar eso y recurre a fanfarronadas y flagrantes falsedades.

Estados Delincuentes

¿Cómo puede suceder esto en un mundo en el que las relaciones entre las naciones se rigen por las normas universales aceptables y que se supone que el estado de derecho debe prevalecer, en un mundo en el que todos los países se comprometieron a respetar y defender los principios y propósitos de la Carta de la Organización de las Naciones Unidas? La respuesta es que los Estados que desobedecen sistemáticamente el derecho internacional son estados delincuentes y Venezuela debe tener cuidado para no ser considerada como tal. Por lo tanto, en este sentido hacemos un llamado a Venezuela para cambiar de rumbo y cumplir con el estado de derecho.

Lo que Venezuela describe como su "reclamo" al Essequibo tiene sus raíces, como hemos visto, en su rechazo a todos los acuerdos internacionales pertinentes durante cinco siglos: desde el Tratado de Munster en 1648, hasta el Tratado de Washington, en 1897 y el Acuerdo de Ginebra en 1966. ¿Es de extrañar que el lugar adonde Venezuela menos quiere ir es al Tribunal Internacional de Justicia? Tienen miedo del internacionalismo, del proceso judicial, de lo que la justicia les exige.

De ello se desprende que la causa no es sólo de Guyana. Si se impusieran las estratagemas de Venezuela, las fronteras de innumerables países de todo el mundo estarían en peligro; pues la santidad de los tratados que son el pegamento que une a la comunidad internacional de Estados, habría desaparecido. La resistencia guyanesa de los perversos argumentos de Venezuela es un servicio global.

El reclamo de Venezuela de una gran área del territorio de Guyana es una calumnia nacida de la codicia, alimentado por la falsedad y la fábula, y mantenida por la demagogia política. Es una afirmación que desprecia el estado de derecho internacional y la inviolabilidad de los tratados. Es una afirmación que pone en peligro la soberanía y la integridad territorial de Guyana y la paz de esta región del mundo. El 50° aniversario de la independencia de Guyana clama por la liberación de esta maldad.

Un camino claro a 'la resolución judicial'

En septiembre de 2015, el nuevo presidente de Guyana, David Granger, exhortó al Secretario General de la Organización de Naciones Unidas, Ban Ki Moon, a que se resolviera con firmeza la afirmación de Venezuela de que el Laudo Arbitral de 1899 es "nulo y sin efecto" en un proceso judicial en el marco del Acuerdo de Ginebra. Es una contención legal y eminentemente adecuada para la resolución del órgano jurídico más alto del mundo. El Secretario General está ocupándose de esta cuestión.

Mientras tanto, la hostilidad de Venezuela persiste. En una fecha reciente, 4 de febrero de 2016, la Ministra de Relaciones Exteriores de Venezuela, Delcy Rodríguez, escogió la Organización de Naciones Unidas para emitir un comunicado con el título "Venezuela ratifica en la ONU sus derechos sobre el Essequibo". El 11 de febrero de 2016 el Vicepresidente y Ministro de Relaciones Exteriores de Guyana, Carl Greenidge, hizo una declaración de repudio en la Asamblea Nacional de Guyana. Concluyó de la siguiente manera:

El pueblo de Venezuela es nuestro hermano y Guyana le tiende su mano en señal de amistad. Pero hay fuerzas en Venezuela que han hecho de esto la causa de su vida,

abusando de la sagrada memoria de Bolívar para mantener a Guyana rehén de su cruzada de la codicia.

Guyana es descendiente de la descolonización. Su ascendencia se encuentra en la Carta de la Organización de Naciones Unidas, sus propósitos y principios. La soberanía e integridad territorial de Guyana constituyen su patrimonio internacional. Siempre permaneceremos fieles a las exigencias de ambas; y esperamos que la comunidad internacional esté con nosotros contra las agresiones de Venezuela.

Todos los gobiernos de Guyana se han enfrentado a estas amenazas depredadoras durante los primeros cincuenta años de la Independencia: todos los primeros ministros, presidentes, partidos políticos, el pueblo de Guyana. Y todos los han enfrentado en solidaridad. La Oposición actual en el Parlamento de Guyana forma parte del órgano asesor del país en temas "fronterizos." Y así ha sucedido antes. Es esencial que así continúe. Una Guyana unida superará estos desafíos en todos los frentes. Nuestros vecinos deben saber que desafían a una Guyana unida. Deben oír a través de nuestras fronteras la *Canción de la República* cantada con voz clara por corazones robustos:

Desde los picos poderosos de Pakaraima
Hasta las arenas exuberantes de Courantyne,
Sus hijos se comprometen cada hora fiel
A proteger las tierras de Guyana.
Para frustrar el choque del invasor grosero
Quién iba a violar Su tierra,
Para apreciar y defender para siempre
El Estado que les dio origen.